W cieniu magnolii

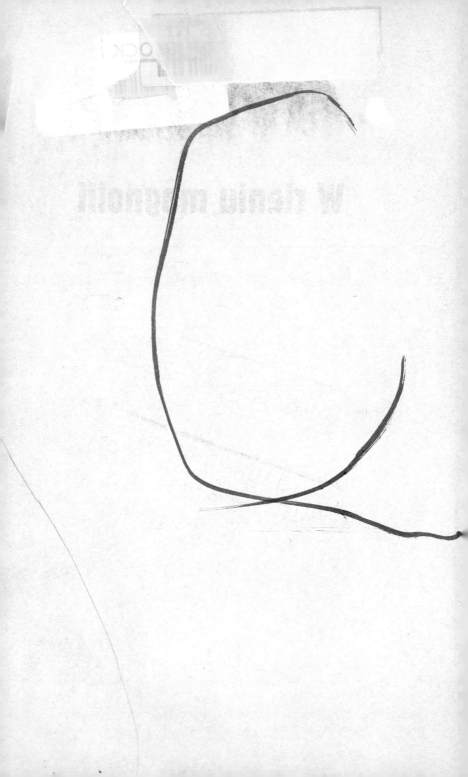

Marina
MAYORAL
W cieniu magnolii

przełożyła
Elżbieta Komarnicka

Warszawskie Wydawnictwo Literackie
MUZA SA

Tytuł oryginału: *Bajo el magnolio*
Projekt okładki: *Maryna Wiśniewska*
Redakcja: *Anna Kowalska*
Redakcja techniczna: *Zbigniew Katafiasz*
Korekta: *Janina Zgrzembska*

ISBN 83-7319-897-0

Warszawskie Wydawnictwo Literackie
MUZA SA
Warszawa 2006

Moim czytelnikom wczorajszym,
dzisiejszym i jutrzejszym.
Za ich obecność w ciągu tych długich lat
i za nadzieję, że żyć będę w ich pamięci

Tam gdzie trumny zamyka się wieko,
Wieczność się otwiera,
Wszystko, cośmy dotąd przemilczeli
Wypowiemy teraz.

BÉCQUER,
wiersz XXXVII

Jeśli życie kiedykolwiek źle cię potraktuje,
Wspomnij mnie,
Bo tak, jak mogę patrzeć na ciebie bez końca,
Tak i czekać bez końca potrafię

LUIS GARCÍA MONTERO
Oddzielne pokoje

I

Byłem pewien, że wcześniej czy później poprosi mnie pani o rozmowę. Sam nie wiem, dlaczego tak myślałem, ale byłem pewien. Może dlatego, że pani tak często zwraca uwagę na punkt widzenia...

Jestem ze wsi, ale lubię czytać i wiem, co mówią ludzie, o których się pisze w prasie. Dużo tam pewnie kłamstwa, zwłaszcza jeśli idzie o polityków, ale pani nie ma w tym żadnego interesu, więc przypuszczam, że rzeczywiście ciekawi panią ta druga strona medalu, druga wersja. Chociaż może chce pani po prostu dobrze wypaść. To cenne, kiedy umiemy wczuć się w sytuację innych. Nie wiem, czy stosuje pani tę zasadę we własnym życiu; wszyscy jesteśmy szalenie bezstronni w sprawach bliźnich, ale kiedy chodzi o nas samych, widzimy wyłącznie naszą rację, naszą prawdę. I wydaje nam się, że inni albo się mylą, albo kłamią. Ale faktem jest, że nie dziwi mnie pani obecność tutaj, raczej to, że czekała pani tyle lat. Jeszcze chwila zwłoki i rozmawialibyśmy już w przyszłym życiu.

Nie, nie jestem zakłopotany czy urażony. Ani tym, co mówi pani, ani tym, co powiedziała pani Laura. Tylko że ja w wielu momentach się z nią nie zgadzam. Nie wiem, czy Laura dokładnie tak to przedstawiła, czy pani opisała to na swój sposób. W każdym razie przyzna pani, że normalnie wypada wysłuchać obu stron, a jakby się zastanowić, nawet trzech, bo jej mąż też miałby coś do powiedzenia. Mnie się przedstawia jako człowieka ambitnego, pamiętliwego, który przejmuje całe dziedzictwo Laury, ale mąż wypada jeszcze gorzej, jak imbecyl i egoista. A ja powiem, że coś dobrego musiał mieć poza urodą, jeśli Laura wytrzymała z nim nawet wtedy, kiedy był już ruiną człowieka.

Proszę się nie tłumaczyć, nie ma potrzeby... To powieść, ale pani opowiedziała o życiu ludzi z krwi i kości, o tym konkretnym dworze i o tej ziemi, tak że nie bardzo wiem, jaki to rodzaj powieści. A że pozwoliła pani mówić tylko Laurze, to nic dziwnego, po prostu ona panią interesowała i nie potrzeba nic wyjaśniać. Kobiety rozumieją się między sobą, a jak im się zbierze na gadanie, nikt ich nie powstrzyma. Teraz, przez ciekawość albo z innych powodów, chce pani rozmawiać ze mną. No i bardzo dobrze. Gdybym się nie zgodził, przez swoje milczenie stanąłbym po drugiej stronie. Ale nie chcę milczeć, jestem zbyt stary, żeby milczeć. Powiem pani, jakie jest moje zdanie. Nie posądzam pani o złą wolę, ale myślę, że niektóre sprawy musiała pani źle zrozumieć albo Laura opacznie je przedstawiła, albo, jako że to jest powieść, przerobiła je pani na swój sposób; nie wiem. Ludziom trudno jest się porozumieć i chociaż mówią, że rozmowa sprzyja porozumieniu, to się nie zawsze sprawdza. W rozmowie często padają słowa, których potem się żałuje, bo zostały powiedziane w chwili wzburzenia czy złego humoru, a prawda była zupełnie inna i czasem nigdy nie będzie wyjawiona.

Zacznę od sprawy najtrudniejszej: pani przywiązuje wielką wagę do tego, że Laura była „panienką", wnuczką państwa ze dworu, a ja byłem synem strażnika. Tak, to prawda, ale kiedy chodziliśmy razem do szkoły prowadzonej przez ojca Laury, jej dziadkowie już nie żyli, dwór był w ruinie i nie było żadnych dochodów poza pensją don Marciala, nauczycielską pensją, która, jak pani może sobie wyobrazić, nie wystarczała nawet na łatanie dziur w dachu, chociaż ludzie z wdzięczności nie brali ani grosza za robociznę. I zawsze był w prezencie jakiś zając czy parę pstrągów, bo wszyscy kochali don Marciala i dużo mu zawdzięczali.

Obyczaje zaczynały się zmieniać i przedmiotem ludzkiego podziwu i marzeń był samochód albo mieszkanie w stolicy, a nie jakiś rozwalający się dwór. Don Marciala wszyscy kochali i szanowali, bo zasłużył sobie na to swoim postępowaniem, ale nikt wtedy nie chciał być nauczycielem, rozumie pani? ani nikt nie pamiętał o dziadkach Laury.

Owszem, dwór mi się podobał, zawsze mi się podobał, bo lubię piękne domy, a dwór, sama pani widzi, jest przepiękny. Teraz innym też się podoba, bo świat kręci się w kółko i ludzie zaczynają wracać na ojcowiznę i zgodnie z modą chcą mieć dom na wsi; nie w byle jakiej wsi, tylko w rodzinnej, i mieć stary rodzinny dom. Często takiego domu w ogóle nie mieli. Większość żyła w chacie, w jakiejś komórce, albo po prostu rodzice czy dziadkowie wynajmowali za grosze jakiś obskurny kąt. Ale dzieci lub wnuki kupują ziemię albo domy, albo budują je od nowa, wie pani: łazienki, nowoczesna kuchnia. Zbudowałem setki takich domów i dobrze znam tych ludzi. Nie tylko budują domy, ale tworzą własną historię, jak to pani wytłumaczyć? Tak jakby chcieli zrekompensować swoją przeszłość, nędzę swoich bliskich. I to jest w porządku, ja nie widzę w tym nic złego. Jeśli mają pieniądze, kupują mieszkanie nad morzem, ale najpierw dom na wsi, chcą rozliczyć się z przeszłością, rozumie mnie pani?

11

Mój stosunek do dworu nie ma z tym nic wspólnego. Mnie dwór się podoba, bo jest piękny, a nie dlatego, że to wielkopańska posiadłość. To musi pani wiedzieć. A także to, że zapłaciłem za niego więcej, niż dawali inni, którzy chcieli wykorzystać sytuację, że Laury pieniądze nigdy się nie trzymały, a don Marcial nie miał żyłki do interesów. Nie było to nadużycie. Kupiłem go za cenę, którą dawano wtedy za takie domostwa, kiedy nie było na nie nabywców.

Mam ośmioro dzieci i ponad dwadzieścioro wnuków. Cieszę się, że są przy mnie i że jest miejsce dla wszystkich, kiedy mamy ochotę być razem. Dwór ma wszystko, czego potrzebuję: dużo pokoi, ogród; świetne położenie i najpiękniejszy widok w całej okolicy. I jest solidnie zbudowany. Ja nie potrafiłbym zbudować lepszego i piękniejszego domu. Wprowadziłem jedynie nowoczesne udogodnienia, ale uważałem, żeby go nie zepsuć, chciałem uszanować jego strukturę i odwieczny wygląd.

W ostatnich latach wiele razy proponowano mi, żebym go sprzedał; miałem dużo ofert za ogromne pieniądze. Ale ja pieniędzy już mam dość, więcej nie potrzebuję. Mieszkam we dworze i jest mi tu dobrze. I nigdy go nie sprzedam. Jedno, co mi ciąży, to świadomość, że należał do Laury, bo widzi pani, wiem, że ona w końcu też chciałaby w nim mieszkać, a teraz to i jej dzieciom by odpowiadało. Ale ona z mężem i dziećmi wiele lat żyli z pieniędzy, które dałem jej ojcu za dwór. A wszystko w życiu ma swoją cenę.

Ona tego pani nie mówiła, ale to było tak. Zapłaciłem więcej niż ktokolwiek inny i przy świadkach oznajmiłem, że dopóki don Marcial żyje, nic się tam nie zmieni. Kto wdzięczności nie patrzy, źle o nim świadczy, a gdyby nie don Marcial, może umiałbym tylko pisać i czytać i Bóg wie, co byłoby z moim życiem. Więc powiedziałem mu, że

12

może tam mieszkać, jak długo chce, a za jego życia także każdy członek jego rodziny, i Nana, która przez cały czas była u nich służącą, niańką i opiekunką Laury...

Nie, nigdy nie przyjeżdżali. Biedny don Marcial! Nawet na Boże Narodzenie się nie pojawiali. To on jechał do Madrytu, żeby spędzić tam Wigilię; Laura z mężem nie mogą się wybrać, mówił, żeby ich usprawiedliwić, tacy są zapracowani. Czasami nawet do końca roku tam nie zostawał. Oni mają przyjęcia, żyją w inny sposób, mówił, wyjeżdżają na Karaiby, bo zimą potrzebują słońca. Widzi pani. A pieniądze pochodziły ze sprzedaży dworu. A gdyby zamiast mnie kupił go ktoś inny, don Marcial skończyłby życie w przytułku, tak jak Nana po jego śmierci.

Wszystko ma w życiu swoją cenę. Laura wybrała miasto. Gdyby ją to naprawdę obchodziło, nie pozwoliłaby, żeby ojciec zapłacił dworem za ich kaprysy. W rzeczywistości nie lubiła dworu tak, jak opowiadała. A jej mąż jeszcze mniej. Dzieci praktycznie go nie znają. Więc nie wiem, skąd u licha wziął się ten niemądry pomysł, by zasadzić tu magnolię na pięćdziesiąte urodziny. I prosić mnie, żebym jej doglądał. Dwór już był wtedy mój i ona o tym wiedziała, chociaż mówiła o nim, jakby jeszcze należał do niej. I wiedziała też, że gdyby nawet miała pieniądze, by go ode mnie odkupić, i tak bym jej nie sprzedał. Dopóki żył jej ojciec, niczego we dworze nie ruszyłem. Ot, jakieś nieodzowne naprawy, wstawienie szyby w oknie czy załatanie największych dziur w dachu, żeby się nie zawalił, i aby on mógł w nim godnie żyć. Ale kiedy zmarł, to już była inna sytuacja. Nie wiem, po co przyjechała Laura. Żeby sprzedać meble, umieścić Nanę w przytułku i posadzić magnolię! I zlecić mi, żebym ją pielęgnował. Trzeba mieć nie po kolei w głowie!... Przepraszam, ale niektórych zachowań Laury nigdy nie zrozumiem...

Nie. Nie wyrwałem jej. Jest tam, na górze, na tym skalistym wzniesieniu. Dla magnolii było to najmniej odpowiednie miejsce. Uparła się, żeby ją tam posadzić, bo „kiedy urośnie – powiedziała – na tle nieba będzie wyglądać prześlicznie"...

Oczywiście, że wygląda prześlicznie! Bo ja w ciągu tylu, tylu lat pilnowałem, żeby jej szlag nie trafił. Trzeba było strzec jej przed przymrozkami i przed *tumbaloureiro*, północnym wiatrem, który tutaj hula. Najpierw ogrodziłem ją trzciną, a potem zbudowałem całą tę osłonę z kamieni, którą tu pani widzi...

Nie, to nie są ruiny. To kamienny mur, który zbudowałem dla ochrony tej nieszczęsnej magnolii. Laura ograniczyła się do jej posadzenia i do prośby: „Dbaj o nią, Paco", tak samo było z drzewkiem granatu...

Tak, wyrwałem drzewko granatu, które posadziliśmy w dzieciństwie. Pamiętam dokładnie, kiedy to zrobiłem i dlaczego... Miałem szesnaście lat, ale już wykonywałem te wszystkie prace, którym ojciec nie mógł podołać. Laura wyjeżdżała na studia, na uniwersytet. A ja tu zostałem. Nie lubię wyrywać drzew. Don Marcial opowiadał nam, że Francuzi, którzy przybyli do Hiszpanii z Napoleonem w czasie inwazji, posadzili tu dużo drzew. Lud nienawidził Francuzów. I kiedy udało mu się wyrzucić ich z Hiszpanii, wyrywał drzewa, które tamci zasadzili. Don Marcial mówił nam, dzieciom, że to było złe, że drzewa są czymś dobrym i nie są winne kłótniom między ludźmi. To drzewko granatu było jedynym, które wyrwałem w życiu...

Nie zrobiłem tego z zemsty. Chciałem chronić siebie. Żeby nie dać się porwać sposobowi myślenia Laury. Posadzenie tutaj drzewka granatu było szaleństwem. Nie przyjmują się. Ani klimat im nie służy, ani ziemia. A do tego nawiedzały go wszelkie plagi, jedna za drugą. Któregoś dnia zobaczyłem to drzewko samotne i rachityczne, całe objedzone przez robaki, i pomyślałem, że trzeba pracować dla rzeczy, które są tego warte, że nie należy marnować czasu na chimery, czyli na to, co zawsze robiła Laura. I postanowiłem, że będę sadził jabłonki i śliwy, które dadzą mi cień i owoce, a porzucę ogrodnicze łamigłówki. I wyrwałem je przed jej kolejnym przyjazdem, przed kolejnym wykładem, jak to pięknie byłoby mieć tu drzewo granatu, studiować architekturę i budować katedry i mosty, i muzea, i drapacze chmur... Musiałem bronić się przed marzeniami, bo wiedziałem, że nie mogę studiować na uniwersytecie, że moje miejsce jest tutaj i że tutaj muszę jakoś dać sobie radę, żyć dalej i nie umrzeć z żalu, kiedy ona wyjedzie...

Magnolii nie potrzebowałem wyrywać. Wtedy byłem już mężczyzną, przemyślałem wiele spraw i wiedziałem, do czego jestem zdolny i co mogę osiągnąć. Proszę posłuchać, teraz, na tej ziemi, jestem w stanie wyhodować wszystko, co tylko mi się zamarzy. Mam chirimoyas i mango, i drzewo granatu także, widzi pani, okazało się, że mam w końcu nawet granaty. Ta ziemia to błogosławieństwo i trzeba tylko znaleźć odpowiednie miejsce, gdzie dociera słońce i spływa deszczówka.

Magnolia, którą Laura posadziła tam, na górze, to *Magnolia campbelii*, ogrodniczy luksus, żeby nie powiedzieć szaleństwo. Pochodzi z Himalajów i tam może osiągnąć wysokość czterdziestu pięciu metrów. W Europie podobno nie przekracza osiemnastu, ale ta już przekroczyła. Wolno rośnie i bardzo późno zaczyna kwitnąć. Dokładnie po dwudziestu pięciu latach. Ćwierć wieku to kawał czasu. Ubiegłej wiosny zakwitła po raz pierwszy. Nie wyobraża sobie pani takiego piękna. Wypuszcza kwiaty przed liśćmi i całe dwadzieścia metrów pokrywa się kwiatami od góry do dołu, setkami różowawych kwiatów, które wyglądają jak z wosku. Tu nigdy nie widziano czegoś podobnego. Ludzie ze wsi przychodzili ją oglądać, a nawet podjeżdżały autokary z turystami, bo rośnie tak wysoko, że widać ją z szosy prowadzącej nad morze...

Laura tego nie widziała. Myślę, że od początku była pewna, że nie zobaczy tych kwiatów. Czasem się zastanawiam, dlaczego to zrobiła...

Szczerze mówiąc, sądzę, że pani też tego nie wie. No tak: urodzić syna, napisać książkę, posadzić drzewo, to najważniejsze zadania w życiu. Ona miała dwóch synów, napisała książkę dla dzieci i brakowało jej tylko drzewa. Ale mogła je zasadzić u siebie, w Madrycie. Miała tam dom z ogrodem; moja córka Maíta mówiła, że to był mały ogródek, trochę ziemi wokół domu. Ale przecież są też małe drzewa, nawet magnolie, bardziej dostosowane do warunków ogrodowych, kwitną dużo wcześniej i nie wymagają tyle zachodu.

Wie pani, czytałem dużo na temat magnolii, lubię ogrodnictwo i lubię opierać się na literaturze, a do tego bardzo mi zależało utrzymać tę magnolię; tak więc mogę panią zapewnić, że Laurze nie chodziło o drzewo, o wypełnienie trzeciego, najważniejszego zadania w życiu, bo mogła to zrobić u siebie bez takiego wysiłku i bez angażowania mnie w to wszystko.

W jednej z tych książek przeczytałem, że *Magnolia campbelli*, którą zasadziła Laura, jest arystokratką wśród magnolii. Arystokratką, widzi pani? A Laura przyjechała, żeby ją zasadzić na ziemi, która już nie była jej własnością, ale należała do jej rodziny od wieków. I mnie zleciła opiekę nad nią, bo wiedziała, że bez tego roślina się nie uchowa. I powiedziała: „Na tle nieba będzie wyglądała przepięknie. – A potem dodała: – Twoje dzieci i wnuki będą się nią cieszyć".

Minęło dwadzieścia siedem lat i do tej pory nie wiem, czy zrobiła to dla siebie, czy dla mnie...

Laura

Mnie to drzewo nie da nic: ani owoców, ani cienia, ty go nie znasz. Minie wiele lat, zanim zakwitnie, zanim ktoś będzie mógł pod nim usiąść i powiedzieć: „Jak pięknie pachnie". Ja tego nie doczekam. Będziesz z niego korzystać ty, twoje dzieci i wnuki, zawsze przy tobie, wokół ciebie, jak gałązki oliwki; to nagroda dla dobrego syna, który nie opuścił swoich rodziców. To twoi bliscy któregoś letniego popołudnia, przechadzając się po terenach należących kiedyś do moich dziadków, odkryją, jak pięknie pachną kwiaty magnolii...

Paco, nie gniewaj się, chcę ją posadzić sama. To symboliczny gest, zrozum...

Masz rację, będzie krzywe. Do tego trzeba dwóch osób, tak jak do urodzenia dziecka. Tylko książkę można napisać samemu...

Wolę, żebyś ty trzymał, a ja będę zasypywała. Trzymaj prosto, zaraz do ciebie idę...

17

Wygląda przepięknie, prawda? Teraz się cieszę, że posadziliśmy ją razem, Paco. Będziesz mi jej doglądał, dobrze? Obiecujesz?...

Żegnaj, Paco. Opiekuj się magnolią...

II

Dziś rozmawiałem z tą panią, która napisała powieść o twoim życiu, Lauro. O twoim życiu i o moim, bo ja też tam występuję, chociaż nikt mnie nie pytał o zgodę... Dla tych, którzy nas nie znają, to może i powieść. Dla ludzi stąd i z naszego pokolenia to opis naszego życia... No, w pewnym stopniu, bo ja z wieloma rzeczami się nie zgadzam. Jakby się uprzeć, to mógłbym jej wytoczyć sprawę, ale to przyjaciółka Maíty, a zresztą tu mało osób czyta, a z tych, co czytają, i tak niewielu zostało, więc odpuściłem.

A teraz do mnie przychodzi, bo zdała sobie sprawę, że czegoś jej brakuje; też mi odkrycie, brakuje jej wszystkiego, czego nie powiedziałaś. I chce, żebym podał jej moją wersję. Nie bardzo rozumiem po co. Jeśli to, co zamierza napisać, ma być tylko powieścią, dlaczego tak grzebie w naszym życiu?... Podała mi przykład pewnej zagranicznej powieściopisarki, która pisała o cesarzu Adrianie. Powiedziała, że tamta przez wiele lat zbierała dokumentację, studiowała szczegółowo jego życie i zdarzenia, w których uczestniczył, ale w końcu nie napisała ani książki historycznej, ani biografii, tylko powieść. Ja tego nie rozumiem. Poprosiłem Maítę, żeby mi poszukała tej książki; pobudziła moją ciekawość, ale nie sądzę, żeby mi cokolwiek wyjaśniła. Ci, którzy znają tę epokę historyczną, mogą się zorientować, czy coś tam dodała od siebie, ale my, cała reszta, będziemy myśleli, że pisze tak, jak było... Tak, jak było... To niemożliwe. Pytałem pisarki, czy to, co ty mówisz w tej powieści, powiedziałaś jej naprawdę... Na przykład, te rzeczy o Fernandzie. A ona twierdzi, że tak, że jej to powiedziałaś. No dobrze, ale skąd ona mogła wiedzieć, o czym rozmawiałaś z ojcem albo z Naną? Mówi, że ty to wszystko jej mówiłaś, a ona tylka nadała temu formę, myślę, że tak się wyraziła: nadała formę. To znaczy, że ty jej opowiedziałaś, a ona to przedstawiła jako twoją rozmowę z ojcem albo z Naną... albo ze mną. Muszę przyznać, że kiedy to czytałem, miałem wrażenie, że słucham ciebie. I że przeżywam na nowo niektóre momenty z naszego życia. Ale czegoś tam brakowało. Były sprawy, które ja pamiętałem w inny sposób, nie chcę przez to powiedzieć, że kłamałaś albo że ona przekręciła fakty, ale ja to widziałem inaczej, inaczej przeżyłem... I zdaje się, że ona też tak pomyślała i dlatego się tu zjawiła. Mówi, że chce poznać moją opinię, mój punkt widzenia. I z tego zrobić nową powieść...

Miałem zamiar jej powiedzieć, że nie mam nic do dodania. Po co wracać jeszcze raz do tego samego. Ale potem to przemyślałem. W końcu czy nie lepiej porozmawiać z nią, niż samemu wszystko rozpamiętywać? Możliwe, że w rozmowie wyjaśni mi się parę spraw, których nigdy do końca nie rozumiałem. No więc rozmawialiśmy i powiedziałem jej, że może wrócić, kiedy zechce, a ona powiedziała, że zostanie tu jeszcze parę dni, i że jeśli nie mam nic przeciwko temu, będziemy kontynuować rozmowę. I myślę, że dobrze się stało.

W jakiejś mierze to lepsze, niż przychodzić tutaj i w samotności roztrząsać wszystko raz, drugi, dziesiąty, próbując zrozumieć. Może dzięki rozmowie wyraźniej zobaczę pewne sprawy. Twój ojciec mówił, że niektóre uczucia przeżywa się w pełni tylko wtedy, kiedy ubiera się je w słowa. To prawda, święta prawda. Kiedy czytam tomiki poezji, które przywozi mi Maíta, dostrzegam, że czuję albo czułem to samo, co opisuje autor, ale czułem to nieświadomie; brakowało mi słów, żeby zrozumieć, co się ze mną działo. I takich rzeczy nie możesz nikomu opowiedzieć, bo pomyślą, że zdziecinniałeś na stare lata: w tym wieku czytać wiersze!... I odkrywać w nich sens życia!...

Dlatego przychodzę tutaj, bo ty wciąż jesteś dla mnie jedyną osobą, której mogę o tym powiedzieć, i tego w jakiś sposób zawsze mi brakowało. Z Isabel... czy ja wiem; może tak, ale ona czytała tylko powieści i nigdy mi nie opowiadała, co w nich było. Może z Maítą, bo to ona zawsze przywozi mi książki. Ale nie mam śmiałości. Ona pyta, czy mi się podobało, ja mówię, że tak, to ona proponuje, że przywiezie mi następną, którą właśnie przeczytała i która też jej się bardzo podobała. Ale nigdy nie mówi: to jest o tym, co ja sama czuję. Ja też jej tego nie mówię. Uważam, że to ojciec jest od rozwiązywania problemów i wątpliwości swoich dzieci, a nie odwrotnie, to chyba naturalne. Zresztą Maíta często zadaje bardzo kłopotliwe pytania, lepiej nie dawać jej powodów. Już wolę o tym opowiedzieć tej nieznajomej. Albo przyjść tutaj i porozmawiać z tobą.

Przy tobie się nie krępuję, bo ty mówiłaś o wszystkim, o sprawach boskich i ludzkich, i wszystko cię intresowało, chociaż umiałaś milczeć jak grób, kiedy tak było ci wygodniej, ale, cóż, to już inna historia. No więc mówiłem ci, że kiedy czytam wiersze, nagle zdaję sobie sprawę, że czuję dokładnie to samo, a jednocześnie widzę, że to nie jest nic wyjątkowego, że wielu ludziom się to zdarza, nie wszystkim, ale niektórym, podobnym do mnie. I czuję się lepiej, bo rozumiem, że to coś naturalnego, a nie żadne dziwactwo czy mania. Pamiętasz te stare kobiety z Salas? Jedna z nich była trochę nienormalna i ludzie mówili, że to dlatego, iż za młodu rzucił ją narzeczony. A pan Xaquín? Codziennie od wschodu do zachodu słońca wysiadywał na wzgórzu w Rocamoura i czekał na syna, który wyjechał do Ameryki. No więc to jest prawdziwa choroba, pochodzi z wewnątrz, z duszy czy mózgu, i separuje cię od normalnych ludzi. Ale nosić w sobie ukryty żal to zwykła rzecz. Prawie wszyscy to mają. Coś, czego nie możesz zapomnieć, ale co pozwala ci prowadzić życie podobne do innych i nawet chwilami być szczęśliwym; coś, co tkwi na dnie ukryte w najciemniejszym zakamarku: jakiś cień, jakiś ciężar, który wciąż zalega i nie ustępuje... Zawsze myślałem, że to choroba, taka jak u tej starej kobiety z Salas albo u pana Xaquina – nie taka groźna, bo możesz pracować i cieszyć się z niektórych rzeczy, chociaż nie całym sercem; taka jak mgła, która pozwala ci widzieć, ale wszystko powleka szarością. Ale nie, to nie jest choroba ani dziwactwo; to normalna rzecz... Przeczytałem to w książce Rosalii de Castro. To ludowa poezja, z prostym słownictwem dla ludzi takich jak ja:

Ale kto kiedyś pokochał prawdziwie
I ma w miłości upodobanie
Temu na zawsze w sercu
Żal zostanie

To znaczy, że jeśli jesteś stały w uczuciach i naprawdę kogoś kochałeś, nie zapomnisz tego; mija czas, ale studnia żalu pozostaje w sercu niezasypana.

Czytając te słowa, pomyślałem o twoim ojcu, o tym, co mówił o książkach, że pomagają ludziom zrozumieć życie i znaleźć sens w tym, co się dzieje, i co mówił o uczuciach, że tylko wtedy przeżywasz je w pełni, jeśli znajdziesz słowa na ich wyrażenie, jeśli je nazwiesz, choćby tylko dla samego siebie... Jakim wspaniałym człowiekiem był twój ojciec! Zawsze mówił nam, że to, co opowiada, przeczytał w książce tego czy innego autora, że tylko powtarza opinie jakiegoś pisarza, świętego czy uczonego. Ale on to pamiętał i przytaczał zawsze w odpowiednim momencie i przypuszczam, że często były to jego własne myśli, a mówił tak ze skromności, żeby się nie wywyższać... Jak mogłaś go zostawić, Lauro! Jak mogłaś wyjechać i zostawić go tutaj zupełnie samego, pozwolić, żeby zestarzał się bez jednej bliskiej osoby!... Powiedziałem to pisarce: że postąpiłaś źle, że nie powinnaś go porzucać...

Ty też opowiedziałaś jej o bardzo intymnych sprawach. Powiedziałaś o spichlerzu. Ja nigdy o tym nie wspomniałem nikomu. Ani Isabel, to jasne. I przysiągłbym na Biblię, jeśliby było trzeba. W grę wchodził twój honor, a ja, jak mówiłaś, byłem twoim błędnym rycerzem. Przedstawiłaś to jako coś bardzo ważnego w twoim życiu, ona mi tak powiedziała. Ale ja nie byłem pierwszym, a ty wyjechałaś, żeby wyjść za innego, więc nie bardzo wiem, dlaczego tamto wydarzenie miało dla ciebie taką wagę ani czy to prawda, że ze mną było ci lepiej niż z mężem i wszystko, co mi powiedziałaś, kiedy przyjechałaś zasadzić drzewo i przewrócić do góry nogami moje życie raz jeszcze...

O tym, jak widać, nie krępowałaś się mówić, ale nie powiedziałaś jej, że porzuciłaś swojego ojca. Oto właściwe słowo i tylko różne jego formy: porzucenie, porzucać, porzucony, pozwalają zrozumieć, co wtedy zrobiłaś... Te słowa oddają ten stan jego ducha, którego byłaś przyczyną.

Źle zrobiłaś, wyjeżdżając. Zawsze tak uważałem, zawsze tak czułem. A wtedy nie powiedziałem ci tego, bo nie chciałem, byś myślała, że mówię we własnym imieniu... W rzeczywistości ja też tu zawiniłem. Byłem zarozumialcem i egoistą. Nie chciałem, żebyś została wyłącznie z powodu ojca albo głównie z jego powodu. I nic nie powiedziałem. Z dumy. Wtedy duma kazała mi milczeć: jeśli chcesz odejść, nie będę cię błagał, żebyś została. Ale powinienem pomyśleć o twoim ojcu, powinienem nakłonić cię do zastanowienia nad tym, co sama przyznałaś wiele lat później, kiedy już miałaś dzieci i one zaczynały własne życie: że los człowieka to nie tylko jego własne życie; że jest to również życie osób, które cię kochają i potrzebują, w stosunku do których masz zobowiązania.

Ja to zrozumiałem wcześniej niż ty, wtedy, kiedy musiałem się zdecydować, czy też wyjeżdżam, czy zostaję. I zostałem, bo czułem, że to mój obowiązek.

Ale aż do tej pory nie zdawałem sobie sprawy, że wtedy powinienem cię poprosić, byś nie wyjeżdżała. I nie zrobiłem tego z dumy, bo myślałem tylko o sobie, a nie o twoim ojcu. Przyszło mi to do głowy dopiero przy spotkaniu z nią, z tą pisarką, dlatego jej powiedziałem, że jeśli chce, możemy dalej prowadzić rozmowę. Jest wiele spraw, które chcę poznać, a o których nie odważyłem się mówić nawet sam ze sobą, i oto nadszedł odpowiedni moment. Nie chcę umrzeć, zanim się nie dowiem, co naprawdę przeżyłem.

To wcale nie jest łatwe. Są uczucia i wspomnienia, które zalegają bardzo głęboko i z trudem wydostają się na powierzchnię; jeśli w ogóle się wydostaną.

Mówiłem jej o tej magnolii, ale nie powiedziałem, że tutaj jesteś. To następna rzecz, którą chciałbym zrozumieć. Dlaczego to zrobiłaś, Lauro? Już by wystarczyło, że zasadziłaś drzewo na przekór wszelkim przeciwnościom. Dlaczego chciałaś tutaj leżeć? Mogłaś omówić to ze mną, poprosić o zgodę. Dwór był już moim domem. Może bałaś się, że się nie zgodzę. Bardzo możliwe, że byłbym odmówił... Jaki jestem głupi! Najprawdopodobniej nawet o mnie nie pomyślałaś, kiedy podejmowałać decyzję! Postawiłaś mnie przed faktem dokonanym, jak tyle razy przedtem. Zadzwoniła do mnie Maíta i powiedziała, że taka jest twoje ostatnia wola. Osłupiałem i powiedziałem, że tak, oczywiście, jak mógbym odmówić. Ta ziemia należała do twojej rodziny od pięciuset lat, a ty chciałaś do niej wrócić. Sprawiłaś, że poczułem się jak intruz.

Przyjechał jeden z twoich synów z urną, Maíta też z nim przyjechała. Myślę, że to ten młodszy, i widać było, że jest tak samo skrępowany jak ja. Przepraszał za kłopot, przypominał mi swojego ojca, nawet fizycznie, taki delikatny i taki zupełnie z innego świata. Powiedział, że prosiłaś go o to osobiście i ponadto umieściłaś tę wolę w testamencie. A ja pomyślałem, że mogłaś to powiedzieć mnie... chociaż rozumiem, że też nie jest łatwo zadzwonić do kogoś i oznajmić, że chcesz, by cię pochowano w jego ogrodzie. A poza tym znałaś mnie i wiedziałaś, że najpewniej powiedziałbym, że nie, że było już dosyć problemów z magnolią.

W końcu ja sam musiałem to zrobić. Widać było, że twój syn nigdy nie miał łopaty w ręku. Zresztą cały czas płakał. I Maíta tak samo; płakała bardziej niż na pogrzebie własnej matki. Kiedy już wykopałem dołek, twój syn chciał włożyć urnę, ale ja powiedziałem, żeby wsypał prochy, a urnę zaniósł do rodzinnego grobowca. Byłem pewny, że właśnie tego byś chciała, by twoje prochy zmieszały się z ziemią i poprzez korzenie doszły nawet do kwiatów, które magnolia miała wypuścić któregoś dnia. Na grobowcu wypisano twoje imię, obok imion twojego ojca, twojej matki i twoich dziadków. I nikt nie wie, że jesteś tutaj. Nawet moje dzieci... Jedynie Maíta, ale obiecała mi, że nie powie rodzeństwu. Nie chcę, żeby wiedziały, że w majątku jest jakiś grób, ani żeby komentowały, dlaczego usiadłem tu czy tam.

Teraz lubię sobie siadać właśnie tutaj. Na zasadzenie drzewa wybrałaś miejsce najgorsze z możliwych, najbardziej odsłonięte. Ale stąd jest najpiękniejszy widok, pod tym względem miałaś rację. Wiosną chodzę na cmentarz raz w tygodniu i zmieniam kwiaty na grobie Isabel, a także twojego ojca i Ramona de Castedo. Zrywam naręcze kwiatów w ogrodzie i po kolei rozdzielam. A zimą stawiam paprocie, które wytrzymają i dwa tygodnie. Tutaj przychodzę codziennie i pielęgnuję magnolię, tak jak chciałaś. Wtedy ostatni raz mieliśmy długą rozmowę i wtedy jeszcze nasze życie mogło przyjąć inny obrót. Ale ty przyjechałaś tylko po to, żeby zabrać rzeczy twojego ojca, zasadzić to drzewo i powiedzieć mi: „Dbaj o nie, Paco". Chciałbym wiedzieć, co czułaś, Lauro, co czułaś w ciągu tylu lat. Czy któregoś dnia pożałowałaś swojej decyzji, czy za mną tęskniłaś, czy myślałaś, że popełniłaś błąd. I chciałbym też wiedzieć, jakie były moje własne odczucia. Bez oszukiwania siebie samego, bez złudzeń...

III

Ta historia z wściekłym psem? To było mniej więcej tak, jak opowiadała Laura...

Byliśmy przy młynie w Lourido. Mieliśmy przerwę w lekcjach, a wtedy, jeśli była dobra pogoda, don Marcial pozwalał nam przez godzinę poganiać po polach. Niemal zawsze szedł razem z nami i opowiadał o życiu zwierząt albo roślin, ale czasami zostawiał nas, żebyśmy się wyszaleli na wolności. Tamtego dnia byliśmy sami. Laura miała założony gips, bo spadła z roweru i pękła jej noga w kostce. Nie mogła biegać i powiedziała, że pójdziemy zbierać *amorodos*. *Amorodos* to są poziomki leśne, dużo smaczniejsze od ogrodowych i od dzisiejszych wielkich truskawek. Rozproszyliśmy się, by uniknąć kłótni, kto pierwszy zobaczył kępę poziomek. Tego między innymi uczył nas don Marcial, żeby chłopcy nie bili się między sobą jak dzicy, żeby nie popychali dziewczynek i nie odbierali im owoców.

Tak więc cała czereda dzieciaków ze szkoły zbierała poziomki, kiedy pojawił się wściekły pies. Ktoś go zobaczył, już nie pamiętam kto, i krzyknął: „Wściekły pies!". I wszyscy w nogi. Nie pierwszy raz wydawało nam się, że widzimy wściekłego psa albo wilka. Zwyczajne strachy wiejskich dzieci to są wilkołaki wysysające krew; Święta

27

Kompania, czyli procesja pokutujących duchów, które mogły zabrać cię ze sobą na tamten świat; wilki i wściekłe psy. Niektóre z tych strachów rodziły się z ignorancji, jak mówił don Marcial i ksiądz don Gumersindo. Ale wilki i wściekłe psy nie były wytworami fantazji. Znane są konkretne wypadki, więc kiedy ktoś krzyknie „wściekły pies", to pierwszą rzeczą jest uciekać w te pędy, dopiero potem zobaczy się, czy był wściekły, czy nie.

Wtedy też uciekaliśmy, biegliśmy w górę lasu, bo pies pojawił się na ścieżce i odciął nam drogę do szkoły. Niektórzy wdrapywali się na drzewa, a najmniejsze dziewczynki zaczęły płakać i uciekły w krzaki jeżyn, które podrapały je do krwi. Ale z bliska widzieliśmy go tylko Laura i ja. Naprawdę robił wrażenie. Miał przekrwione oczy i toczył pianę z pyska. Skóra była wilgotna, a sierść sztywna, jakby zjeżona. Szczerzył zęby, a nas ogarnął strach, bo widać było, że nie jest to normalny pies. Był... Czy pani kiedyś widziała wściekłego psa?

Nawet nie wiem, jak to opisać. Oszalały pies, bestia, która nie zachowuje się jak zwierzę, tylko ataktuje bez powodu, jak człowiek. I to rzuca się w oczy, dlatego ludzie sądzą, że wściekły pies ucieleśnia diabła. To jest Zło, rozumie pani, dlatego budzi takie przerażenie. A do tego te wszystkie historie o ludziach pogryzionych przez wściekłego psa, którzy umierali w rozpaczy, zamknięci w pokoju, walili głową o ścianę, nie rozpoznawali rodziny i nie byli w stanie przyjąć sakramentów świętych. No więc ja też rzuciłem się do ucieczki, nie zastanawiając się ani sekundy. Ściślej mówiąc, zacząłem uciekać, ale zatrzymałem się, kiedy zobaczyłem, że Laura stoi bez ruchu...

Nie wiem, dlaczego tak się zachowała. Nie mogła biec, ale naturalną rzeczą było choćby próbować ucieczki, a nie stać nieruchomo jak posąg, nie odrywając oczu od psa, który był coraz bliżej. Potem powiedziała, że pies, jak każde inne zwierzę, atakuje cię, kiedy czuje, że się boisz, i że nie wolno uciekać, jeśli wiesz, że nie biegasz szybciej niż on. Ja też o tym wiedziałem, wszyscy wiedzieliśmy, ale wszyscy uciekaliśmy oprócz niej. Niekiedy ludzi paraliżuje strach, ale w tym przypadku strach nie wchodził w grę. Laura nie była przerażona, jestem tego pewien. Zaabsorbowana, skoncentrowana, patrzyła na psa, który zbliżał się chwiejnym truchcikiem. Przybiegłem do niej pędem, ale zbyt późno, żeby pomóc jej w ucieczce. Było pewne, że pies nas dogoni, więc stanąłem przed nią, żeby jej bronić...

Wystawić mnie na próbę? Nie sądzę. Laura była dziwna, ale nie do tego stopnia, a wtedy mieliśmy nie więcej niż po dwanaście lat, byliśmy dziećmi i... No, nie wiem, Laura dużo czytała, a w książkach rycerz zawsze musi być poddany próbie, ale nie przypuszczam, żeby coś takiego mogło jej wtedy przyjść do głowy; to było zbyt niebezpieczne i stało się tak nagle, nie było czasu, żeby coś zaplanować. Co tam sobie myślała w duszy, Bóg jeden wie, ale jestem pewien, że obierając taką taktykę, myślała o sobie, nie o mnie. Nawet mnie nie zawołała ani nie poprosiła o pomoc. Niektóre dzieci uciekały i krzyczały „ratunku", ale ona nie. Stanęła bez ruchu i to wszystko. Gdybym nie odwrócił głowy, żeby zobaczyć, co się z nią dzieje, nie wiedziałbym, że została z tyłu. Laura na pewno pomyślała, że nie jest w stanie pobiec tak szybko jak pies, i miała na tyle opanowania, by zastygnąć w bezruchu. Tak właśnie zrobiła i na pewno postąpiła najlepiej, jak mogła.

Ja też nie wiem, dlaczego tak się zachowałem. Jakoś tak samo wyszło, bez zastanowienia: najpierw pobiegłem, a potem po nią wróciłem i zostałem...

Tak, ja wiem, że Laura przydała temu zdarzeniu wielką wagę. Zresztą wszystkie dzieci w szkole również, zwłaszcza dziewczynki. Chłopcy też, ale u nich to się mieszało z rywalizacją, a u dziewczynek nie. W pewnym sensie już przed tym pełniłem wśród dzieci rolę przywódcy. Jako że mój ojciec był strażnikiem leśnym, poruszałem się swobodnie po lasach i wiedziałem, gdzie są najlepsze grzyby i ptasie gniazda z najładniejszymi jajkami, i nory królików. Ale po tym wypadku zostałem czymś w rodzaju bohatera. Isabel, moja żona, która wtedy należała do najmłodszych dzieci, była tylko trzy lata młodsza, ale pani wie, w tym wieku trzy lata to ogromna różnica, pewnego dnia powiedziała mi, że ja podobałem jej się zawsze, od kiedy pamięta, ale w tym dniu zakochała się we mnie i była bardzo smutna, bo pomyślała, że nigdy nie zostanie moją narzeczoną, bo ja już jestem narzeczonym Laury, i że potem często śniło jej się, że spotkała wściekłego psa i ja ją ratuję tak, jak uratowałem Laurę.

Powiedziała mi to kilka lat po ślubie. Moja żona była bardzo zamknięta i wstydziła się mówić o swoich uczuciach, w tym była podobna do mnie. Nie tak jak Laura, która bez przerwy rozstrząsała różne sprawy i dzieliła włos na czworo. Ucieszyłem się, kiedy mi to powiedziała, chociaż już mieliśmy dwoje dzieci; to głupie, prawda? Ale sprawiło mi przyjemność, że się we mnie kochała już od maleńkości. Dlatego czasem myślę, że ludziom trzeba mówić dobre rzeczy, bo jeśli się nie powie, to jakby w ogóle nie istniały. Kiedy obydwoje podrośliśmy, zdałem sobie sprawę, że nie jestem Isabel obojętny, takie rzeczy się wie po sposobie, w jaki dziewczyna na ciebie patrzy, jak odpowiada, kiedy do niej mówisz, ale dopiero kiedy mi to powiedziała, zrozumiałem, że byłem mężczyzną, którego zawsze kochała, że nie myślała ani nie marzyła o innych, nawet o aktorach filmowych, tylko o mnie. Byłem tym, którego zawsze pragnęła, a to sprawia wielką satysfakcję...

My, mężczyźni, jesteśmy inni. Są takie kobiety, które ci się podobają i z którymi się zadajesz, i takie, które kochasz. I normalnie zakochujesz się wiele razy. I możesz bardzo kochać swoją żonę, a mieć przygodę z inną. Dzisiejsze kobiety też, już moja córka Maíta dba o to, żeby mi to przypominać, ale u mężczyzn zawsze było to czymś normalnym...

No tak. Myślę, że można tak powiedzieć: w wieku dwunastu lat byłem zakochany w Laurze...

Nie chodzi o to, że nie chcę o tym mówić. Wiedziałem, że wcześniej czy później będziemy rozmawiać o moich uczuciach do Laury, więc gdybym nie chciał o tym mówić, nie ciągnęlibyśmy rozmowy. Tylko że człowiekowi wcale nie jest łatwo powiedzieć, co czuje, kiedy to jest takie skomplikowane i niejasne. Żyłem zapatrzony w nią, to prawda. Ale zawsze był między nami dystans, który ona czasami zmniejszała nagle i niespodziewanie... Tak jak wtedy w spichlerzu, ale wcześniej też, wiele razy, może w mniej szokującej formie...

Miała wyjść za innego mężczyznę z własnej woli, nikt jej do tego nie zmuszał. I przespała się ze mną. Może pani nie wydaje się to szokujące, ale mnie tak. Jeśli będzie mi pani ciągle przerywała, nie będę mógł powiedzieć tego, co chcę...

Chcę teraz powiedzieć, że nigdy nie uważałem Laury za moją narzeczoną, ani w wieku dwunastu lat, ani w żadnym innym momencie. Pomimo tego, co myśleli ludzie ze wsi, a nawet don Marcial i jego przyjaciele od wieczornych spotkań. I to nie dlatego, że nigdy jej nie zapytałem: „Chcesz być moją narzeczoną?", tak jak Roxo zapytał Carmiñę jeszcze w szkole. Jeżeli dziewczyna odpowiadała, że tak, to oznaczało, że nie będzie zwracała uwagi na innych chłopców i że kiedy oboje dorosną, pobiorą się i będą mieli dzieci. Takie były ówczesne obyczaje: w którymś momencie należało złożyć słowną deklarację. I sądzę, że tak jest do tej pory, jeśli naprawdę chcesz mieć jakąś kobietę dla siebie i jeżeli czujesz, że zawsze będziesz ją kochać. Tego między mną a Laurą nigdy nie było. To zawsze sprawa dwojga. Laura nie chciała, nie ulega wątpliwości. Normalnie to mężczyzna się oświadcza, ale gdyby chciała, ona uczyniłaby pierwszy krok. Tak, jak wyciągała mnie do tańca na święto Matki Boskiej z Karmelu albo jak rzuciła się w moje ramiona w spichlerzu. Nie chciała być moją narzeczoną, nie chciała takiego zobowiązania. A ja zawsze się do niej dostosowywałem. To wiem teraz, ale musiało minąć sporo czasu, zanim to sobie uświadomiłem. Tańczyłem, jak mi zagrała. Ona wyznaczała zasady naszych stosunków, a ja nie zdawałem sobie z tego sprawy. Ale Laura była tego świadoma od dzieciństwa. Ona świetnie to pani wyjaśniła, kiedy opowiadała o spotkaniu z wściekłym psem. Pamięta pani? Powiedziała: „Przez długie lata czułam się jak królowa, która ma na służbie najwierniejszego z rycerzy". Tak czuła się już wcześniej, a epizod z psem tylko te odczucia potwierdził.

Była przekonana, że oddałbym za nią życie, że byłem gotowy na najstraszniejszą śmierć, by ją ratować...

Zrobiłbym to dla mojej żony, bez żadnej wątpliwości, i dla moich dzieci. Ale w przypadku Laury nie można mówić o świadomej decyzji. Tamto było zachowaniem małego chłopca, zupełnie instynktownym, do którego nie przywiązuję najmniejszej wagi. Jesteśmy za coś odpowiedzialni tylko wtedy, jeśli możemy swobodnie dokonywać wyboru. To tak, jakby spadł na mnie jadowity pająk, a ja otrząsając się, odrzuciłbym go na kogoś innego. Jeśliby ta druga osoba umarła od ukąszenia, nie mógłbym czuć się winny ani odpowiedzialny za wypadek. Więc z tamtym było podobnie, tylko że na odwrót. Wróciłem po Laurę, ale równie dobrze mógłbym biec dalej, bo się nad tym nie zastanawiałem, nie podejmowałem żadnej decyzji. A kiedy już byłem przy niej, zrobiłem to, co nakazują ćwiczone przez wieki zachowania, które przeradzają się w instynkt: zasłoniłem ją sobą, bo jestem mężczyzną i mężczyźni od czasów jaskiniowych właśnie tak się zachowywali. Tego się nie roztrząsa. Coś się robi i już.

Denerwuje mnie tylko, kiedy Laura mówi, że gdybym tak nie postąpił, czułaby się zawiedziona. Nie miała najmniejszych zahamowań, żeby to powiedzieć. Ona była bardzo nowoczesna, miała zdecydowane feministyczne poglądy, tak samo jak moja córka Maíta, która była przez nią kształtowana od czasu, kiedy zaczęła studiować na uniwersytecie, ale w takich przypadkach te kobiety chcą, by mężczyźni zachowywali się jak samce, a nie jak istoty ludzkie, które tak samo mogą się bać, mogą kierować się własnym instynktem samozachowawczym, a nie instynktem, który każe im bronić swojej samicy...

Różnice społeczne? Królowa i poddany... Bo ja wiem?! Kiedy wróciłem, żeby jej bronić, albo kiedy pokazywałem jej najbardziej ukryte gniazda czy zrywałem dla niej najpiękniejsze poziomki, nie myślałem o tym, że jestem synem strażnika, a ona wnuczką państwa ze dworu. I nie sądzę, żeby ona o tym myślała. Inni tak, oczywiście. Nie don Marcial ani jego przyjaciele; ale ludzie ze wsi o tym myśleli, choć dwór był w ruinie, a don Marcial nie miał żadnych pieniędzy poza nauczycielską pensją. Dla nich ona była panienką ze dworu. To ciekawe, kiedy o niej mówili, nigdy nie powiedzieli „córka nauczyciela", chociaż go uwielbiali. Ale jego córka nie była jego córką, tylko panienką ze dworu albo Laurą ze dworu. A o mnie mówili: „Paco, syn strażnika".

33

To, co inni myślą o człowieku, zostawia w nim ślad, chociaż nie zdaje sobie z tego sprawy. A dzieci w wieku szkolnym są bardzo wrażliwe na różnice społeczne, widzę to po moich wnukach. Tak więc możliwe, że obydwoje podświadomie zachowywaliśmy się zgodnie z naszą pozycją społeczną. Ale ja tego tak nie pamiętam. Pamiętam tylko, że dni nie dzieliły się na dwanaście godzin, czy na ranki, południa i wieczory. Miały tylko dwie części: tę, kiedy byłem z Laurą, i kiedy z nią nie byłem. A ta część dnia, kiedy jej nie widziałem albo nie byłem przy niej, stanowiła wyłącznie czekanie albo przygotowywanie się na tę drugą część. I może to właśnie jest przyczyna, dlaczego zasłoniłem ją sobą przed wściekłym psem. Nawet nie musiałem się zastanawiać. Wtedy moje życie toczyło się w rytmie narzuconym przez Laurę. I biegłem do niej tak, jak ptaki lecą na zew natury. A jeśli po drodze ustrzeli je myśliwy, nawet się o tym nie dowiedzą.

Laura

Nie miałeś ani kija, ani kamienia, ale powiedziałeś: „Nie bój się, nic ci nie zrobi", i zasłaniałeś mnie swoim ciałem, a pies krążył wokół nas i groźnie szczerzył kły. Wtedy nie wiedzieliśmy, że jest szczepionka przeciwko wściekliźnie, może tylko coś tam słyszeliśmy. Za to w głowie mieliśmy pełno historii o wściekłych psach, o pokąsanych ludziach, którzy umierali z pianą na ustach, tarzając się z bólu po podłodze albo waląc ciałem o ścianę. Była to śmierć najgorsza z możliwych, porównywalna tylko do pogrzebania żywcem.

Po tym zdarzeniu już nie miałam wątpliwości co do tego, ile jesteś w stanie dla mnie zrobić.

IV

O towarzyszach wieczornych spotkań u don Marciala nie mogę powiedzieć dużo więcej niż to, co wie pani od Laury. Widywałem się z nimi po jej wyjeździe, ale ich dni od dawna miały ustalony rytm i nie było w nich większych zmian poza tymi, które niesie czas: postarzeli się, ich spacery stawały się coraz krótsze, spotkania kończyły się wcześniej, przestali pracować i powoli wymierali. Uważam, że mieli życie godne zazdrości i dla mnie byli przykładem, jak należy żyć. Ale nie wiem, czy zauważyła pani, że Laura nie znosiła takiego sposobu życia...

Nie chcę przez to powiedzieć, że ich nie poważała. Owszem, poważała i bardzo ich lubiła, zwłaszcza Ramona de Castedo i Benjamina, który leczył ją z różnych chorób w dzieciństwie. Z don Gumersindem miała gorsze stosunki, nie dlatego, że był księdzem, ale przez jego styl bycia. Był trochę nieokrzesany, nieokrzesany z zasady, nie owijał niczego w bawełnę i nazywał rzeczy po imieniu. Z nim Laura miała parę spięć. Mówił jej rzeczy, których nie chciała słuchać: że ojciec nie ożenił się po raz drugi, żeby nie dawać jej macochy, że ona zostawiła go samego, wyjeżdżając do Madrytu, i tym podobne. I rzucił parę złośliwych uwag na temat pięknisiów, na temat jej

36

męża, kiedy jeszcze nie był jej mężem... Oni myśleli, że Laura chciała stąd wyjechać z jego powodu, i dlatego nie przypadł im do gustu...

Uważam, że Laura wyjechałaby tak czy inaczej, z nim, z kim innym albo sama. Przyjaciele don Marciala nie zdawali sobie sprawy, że reprezentują sposób życia, którego ona nie chciała zaakceptować...

Niełatwo to wytłumaczyć. Oni nie mieli ambicji, a ściślej mówiąc, nie mieli wymagań albo aspiracji, tak samo jak don Marcial. A to, w zależności od punktu widzenia, może być i dobre, i złe. Był taki moment, że Laura widziała w tym raczej złe niż dobre strony.

Chociaż niektóre aspekty ich sposobu życia nawet ją pociągały. Czterej przyjaciele spotykali się każdego wieczoru. Każdy z nich jadł w domu wczesną kolację, a potem zbierali się we dworze. Don Gumersindo jadł kolację sam, Ramón de Castedo ze swoimi siostrami, a Benjamín z rodzicami, a kiedy zmarli – ze swoim siostrzeńcem, który był pielęgniarzem i służył mu za asystenta. Po kolacji szli do dworu. W letnie wieczory siadali w ogrodzie i patrzyli na zachodzące słońce. Jeśli noc była ciepła, zostawali tam, a kiedy dni stawały się krótsze i robiło się zimno, przenosili się do biblioteki i rozpalali w kominku.

Rozmawiali czasem do rana. W każdym razie tak opowiadała Nana. W tej małej miejscowości, gdzie większość ludzi szła spać z kurami i wstawała o świcie, spotkania tych czterech mężczyzn wyglądały na dziwactwo; nie używam słowa „bibka", bo sama obecność don Marciala wyłączała taką możliwość, ale właśnie dlatego było to takie dziwne; gdyby tam pili, grali w karty, czy zapraszali kobiety, byłoby to bardziej zrozumiałe niż spotkania dla samej rozmowy. Latem wysączali parę kieliszków chłodnego białego wina, a zimą po kieliszku koniaku, i palili:

37

Ramón de Castedo fajkę, don Gumersindo cygaro, a don Marcial i don Benjamín wypalali od czasu do czasu papierosa. Niekiedy siedzieli w milczeniu, rozkoszując się w spokoju smakiem tytoniu, alkoholu i obecnością współtowarzyszy.

To się Laurze podobało: widok czterech przyjaciół kontemplujących zachód słońca czy płomienie ognia w kominku: cisza, spokój... Ale nie znosiła rutyny, świadomości, że każdy kolejny dzień będzie taki sam, braku horyzontów, ograniczeń, jakie każdy z nich przyjął na siebie...

Laura kilka razy mi o tym mówiła, ale wiem to głównie od mojej córki Maíty, która, nawet gdyby była córką Laury, nie mogłaby być bardziej do niej podobna. Laura nie miała córek i kiedy Maíta wyjechała na studia, zaraz wzięła ją pod opiekę. Prawdę mówiąc, jeszcze wcześniej, jak tylko pierwszy raz ją zobaczyła, zaadoptowała ją. Nie wiem dlaczego właśnie Maíta, a nie inne córki; była to obopólna sympatia. Laura mówi przez jej usta. Czasami słucham Maíty i zdaje mi się, że słyszę Laurę, jej słowa, których Laura wprawdzie nie mówiła, ale ja wiem, że tak myślała.

O „czterech nogach od stołu", jak nazywała Nana czterech przyjaciół, myślała, że mogli zdziałać w życiu o wiele więcej, dokonać ważnych rzeczy, których nie dokonali przez brak ambicji, ale także przez lenistwo, wygodnictwo, apatię.

O don Gumersindzie myślała, że został księdzem dla wygody. Nie była w tym odosobniona. Podobno jego własny ojciec, który miał ziemie orne, widząc, że jedyny syn nie pali się do pracy w gospodarstwie, powiedział: „Synu, albo na karczowisko, albo na księdza". I Gumersindo wybrał seminarium w Bretemie, skąd uciekał na zabawy i odpusty, spuszczając się po sznurach z balkonu. Wszystko to opowiadała Nana, od niej też wiem o jego „nawróceniu"...

Don Gumersindo starał się o rękę matki Laury, tak samo jak Benjamín i Ramón de Castedo. Ze względów klasowych jego szanse były mniejsze niż tamtych, ale biedny nie był: miał ziemię, a przede wszystkim, według Nany, był najprzystojniejszym kawalerem w całej okolicy. Prawdziwy donżuan, który smalił cholewki do pań, panien i panienek w promieniu dwudziestu mil, zwłaszcza od czasu, kiedy matka Laury wybrała don Marciala i za niego wyszła. Widać pocieszał się po stracie, zmieniając kobiety jak rękawiczki, ale nie rzucał seminarium, gdzie zostały mu już tylko ostatnie święcenia. I to wszystko, co też wiadomo z relacji Nany, skończyło się pewnego dnia, a raczej pewnej nocy, której doña Inmaculada umarła wkrótce po urodzeniu Laury. Gumersindo już się nie pokazał na żadnej zabawie, a w następnym roku przyjął święcenia. I jako ksiądz nigdy nie urządził żadnego skandalu, chociaż widać było, że kobiety mu się podobały i nie miał zahamowań, by żartować na ten temat.

Ta strona osobowości don Gumersinda wydawała się Laurze sympatyczna. Już samo to, że był zakochany w jej matce. Chociaż uważała, że żarty Benjamina, który często mówił: „Gdybym miał taką gospodynię, jak ty, przyjacielu, też bym został księdzem", miały w sobie ziarnko prawdy.

I podobało jej się, że był w dobrych stosunkach z trzema ateistami, którzy nie przekraczali progu kościoła, i codziennie się z nimi spotykał. Może robił to dlatego, że nie był do końca przekonany do prawd, które głosił, ale taka forma przedkładania przyjaźni nad konwenanse była dla niej świadectwem jego zalet. Irytowało ją natomiast, że nie popierał jej, tak jak inni, kiedy próbowała usprawiedliwić swoje małżeństwo i wyjazd do Madrytu. No, wie pani, argumenty, że ona potrzebuje przejść życie na swój sposób i znaleźć własny świat, coś, co nie byłoby odziedziczone, no, pamięta pani, co Laura mówiła. A don Gumersindo przypominał jej o samotności ojca, który się dla niej poświęcił, a kiedy postanowiła wyjść za mąż, powiedział: „Dobrze się zastanów, bo fizyczny pociąg mija i będziesz żałować".

To wiem od Nany. Mnie Laura powiedziała tylko, że opinie don Gumersinda na temat kobiet i w ogóle na temat stosunków międzyludzkich są bardzo uproszczone i nie sposób wytłumaczyć mu niczego, co nie mieści się w schematach jego myślenia.

Z pozostałymi dwoma lepiej się dogadywała. Don Benjamín był dobrym lekarzem, dobrym wiejskim lekarzem, bo takiego właśnie tu brakowało. Inteligentny, majętny z domu, mógł zrobić specjalizację, wyjechać i rozwijać się zawodowo. Ale skończył studia i wrócił tutaj. Dostawał pisma medyczne i wiedział, co się działo w medycynie na świecie. I był bardzo skromny; zawsze mówił, że Bastian de la Xesta, znachor, jest lepszy od niego przy nastawianiu kręgów. A przy porodach lepsza jest María de la Brana.

Nigdy ich nie zadenuncjował, jak to często robili lekarze z innych wiosek. Bo był dobrym człowiekiem, to po pierwsze, a po drugie, uważał, że dobrze wykonują swoją robotę, i że tego, czego nie potrafią zrobić oni, on nie potrafi także. Kiedy nie był pewien diagnozy albo coś mu się wydawało podejrzane, natychmiast odsyłał pacjenta do szpitala okręgowego. Uratował wiele osób, zapewniam panią. Mojej żony nie mógł uratować, bo było za późno. W Madrycie powiedzieli mi dokładnie to samo, ale dużo mniej delikatnie. Był dobrym lekarzem i dobrym człowiekiem.

Laura podziwiała go na swój sposób. Mówiła, że powinni być tacy ludzie, jak on, którzy poświęcają swoją błyskotliwą karierę zawodową dla poprawy opieki zdrowotnej na wsiach. Widziała to jako poświęcenie, tak samo jak Maíta. Niektórzy nie rozumieją, że ktoś zostaje tutaj dlatego, że tak mu się podoba, że właśnie tym chce się zajmować z własnej woli. A kiedy zgodzą się, że to wybór, zarzucają lenistwo, wygodnictwo, obawę przed konkurencją... Oczywiście, że o mnie myślała tak samo. Ale chcę skończyć zaczęty temat.

Don Benjamín też starał się o rękę doñi Inmaculady i też się nie ożenił. Maíta mówi, że oni wszyscy z wyjątkiem don Marciala byli po trosze mizoginami, woleli przebywać w towarzystwie mężczyzn i robić, co im się podoba, niż spełniać życzenia żony i mieć zobowiązania w stosunku do dzieci. Nie wierzy w tę historię o kolektywnej miłości i o celibacie z jej powodu. To jedyny przypadek, jaki zauważyłem, żeby Maíta miała inne zdanie niż Laura.

Laura była przekonana, że jej ojciec nie ożenił się po raz drugi dlatego, że kochał jej matkę, że nie mógł o niej zapomnieć, a nie, jak mówił don Gumersindo, żeby jej nie przyprowadzać macochy. W rzeczywistości była zazdrosna o matkę. Uwielbiała ojca i była zazdrosna o jego nieustającą tęsknotę za żoną. Don Marcial stracił żonę bardzo szybko, w okresie, gdy był najbardziej zakochany, i nigdy nie otrząsnął się z tego żalu. Ale o tym porozmawiamy w innym momencie.

Trzeci z towarzyszy to Ramón de Castedo. Ci, którzy się na tym znają, twierdzą, że był dobrym malarzem. Jego obrazy znajdują się w różnych muzeach i osiągają coraz wyższe ceny. Mnie się podoba, malował tutejsze pejzaże i jego prace mają w sobie coś szczególnego, nie tylko dlatego, że można rozpoznać konkretną górę czy drogę. Chodzi o światło, o powietrze, o pewien bardzo osobisty sposób widzenia świata i przedstawiania go patrzącemu. W gruncie rzeczy pejzaż jest niezmienny, te same drzewa, ta sama rzeka, te same góry, ale może się wydawać wesoły lub smutny, w zależności od nastroju. A obrazy Ramona de Castedo każą nam patrzeć na świat jego oczami. Chociaż człowiek jest smutny, odnajduje w tych obrazach radość, i odwrotnie, może być w dobrym humorze, a zdaje sobie sprawę, że on patrzył na ten pejzaż ze smutkiem. I to mi się wydaje cenne, bo świat guzik obchodzą nasze żale czy radości. A on jednak potrafił przekazać w obrazie swoje uczucia i sprawić, żebyśmy je zrozumieli.

Ale Maíta mówi, i Laura myślała tak samo, że to był prowincjonalny malarz, który przy swoich zdolnościach mógł zostać wielkim artystą, ale nigdy nie brał malarstwa na serio, nie zamierzał udoskonalać swojej techniki ani szukać nowych rozwiązań. Mówi, że nawet się nie interesował tym, co malowali inni malarze w tamtych czasach. Spoglądał wstecz, w przeszłość. Co jakiś czas wyjeżdżał, żeby zwiedzić jakieś muzeum, w którym już był nieraz: Prado, Luwr, znał je na pamięć.

Ramón de Castedo był jeśli nie narzeczonym to oficjalnym pretendentem do ręki matki Laury, dopóki nie pojawił się don Marcial i nie wyeliminował go z gry. To on namalował portret doñi Inmaculady, który miała Laura. Jest na nim bardzo piękna i widać, że ją kochał, kiedy ją portretował, bo wydaje się, że bije od niej światło. Castedo pochodził ze szlacheckiej rodziny i dlatego wszyscy myśleli, że ma większe szanse niż inni, ale ona wyszła za najbiedniejszego. W każdym razie rodzina Castedo, tak samo jak rodzina Laury, miała więcej dokumentów rodowych niż pieniędzy. Jego ojciec był sędzią, więc syna też wysłano na studia prawnicze, ale nigdy nie pracował w tym zawodzie. Prawdę mówiąc, nigdy nie pracował w żadnym zawodzie. Moja matka, jeszcze przed moim urodzeniem, była pokojówką matki Ramona de Castedo i opowiadała mi, że on miał z ojcem straszliwe przeprawy, bo tamten nawet nie chciał słuchać o malarstwie, chciał, żeby syn był sędzią, tak jak on, i matka cierpiała bardzo przez te awantury ojca z synem. Za życia ojca nigdy nie malował w domu, żeby nie sprawiać przykrości matce, ale choć po wielu tarapatach skończył prawo, też się tym nie zajmował. Tak że w ogóle nie pracował, ani jako prawnik, bo tego nie lubił, ani jako malarz, żeby nie sprzeciwiać się rodzinie...

Żyli skromnie, on i jego dwie siostry. Brat, który też nie mógł dogadać się z ojcem, zginął na wojnie po stronie republikańskiej. Mieli jakąś rentę po ojcu i mały majątek, który oddali w dzierżawę. I tak żyli aż do śmierci. Jego najmłodsza siostra zmarła dopiero parę lat temu. Renta musiała być głodowa, a czynsz dzierżawny też niewielki. I jeszcze opłacali kobietę, która im obojgu sprzątała i usługiwała. Ale, jak pani mówiłem, jego prace zaczęły się dobrze sprzedawać i od czasu do czasu pojawiał się tu właściciel galerii z Madrytu i zabierał jakiś obraz. Niekiedy jednak wracał z pustymi rękoma, bo Castedo prawie nie wychodził z domu i chyba nie malował, ale nie ze starości, bo był najmłodszy z czwórki przyjaciół, nawet trochę młodszy od mojej matki. W ostatnich latach zamknął się w domu i przestał malować.

Właśnie to Laura miała mu za złe: że nigdy nie traktował malarstwa ani jako pracy, ani jako powołania, że mając wyjątkowe zdolności, zatrzymał się na poziomie takiego trochę lepszego amatora, i że nawet nie zrobił na swoim malarstwie pieniędzy...

A ja uważam, że postępował słusznie. Po co pracować, jeśli miał na tyle, żeby żyć tak, jak mu się podobało? A jeżeli chodzi o jego obrazy, to myślę, że gdyby nie przywiązywał do nich znaczenia, nie oddałby w nich tyle z siebie.

Ja się nie znam na malarstwie, ale buduję domy i wiem, jak mi wychodzą, kiedy robię je po mojej myśli, a kiedy wyłącznie na zamówienie, z życzeniami, że, na przykład, taras ma wychodzić na szosę, a przedpokój na drugą stronę, a dwa wielkie okna mają być takie, jak u pana X, a zadaszenie, takie jak u pana Y. No więc obrazy Casteda nigdy nie powstały na zamówienie, rozumie pani? Ani z obowiązku, żeby zarobić na życie. Malował, kiedy czuł to w... Kiedy miał na to ochotę...

Wiem, że pani nie byłaby zbulwersowana, gdybym powiedział „w jajach", ale widzi pani, jakbym rozmawiał z mężczyzną, powiedziałbym to całkiem naturalnie, ale rozmawiając z panią, uważam za bardziej naturalne powstrzymanie się od takich określeń.

Ale pani chyba nie przyjechała tu rozmawiać tym, co na taki temat sądzą feministki, tylko o tym, co ja myślę, więc będzie lepiej, jeśli pozwoli mi pani mówić po mojemu, zgoda?...

Wracając do tematu, ja mam wiele do zawdzięczenia Ramonowi de Castedo. Dzięki niemu i ojcu Laury mogłem się uczyć. Mój nieszczęsny ojciec był zupełnym nieukiem i niezgorszym brutalem i chciał mnie wysłać do pracy, kiedy zaczął tracić wzrok. Don Marcial i Ramón de Castedo nie pozwolili mu na to. W ciągu wielu lat płacili mu dniówkę, taką, jaką bym zarobił przy pracy w kamieniołomie. Don Marcial był bardzo dobrym człowiekiem, ale to Ramón de Castedo postawił się mojemu ojcu. Zagroził, że go zadenuncjuje, kiedy mnie wyśle do pracy. Miałem wtedy tylko dwanaście lat. I Castedo pilnował, żeby mi dawał wolny czas na naukę. Ojciec uważał, że jak się zna cztery podstawowe działania matematyczne i umie czytać i pisać, to już wystarczy. Chętnie wziąłby pieniądze i poszukał mi jakiejś pracy, ale miał do Casteda szacunek i trochę się go bał. Don Marcial zawsze był nauczycielem, mężem panienki ze dworu, a Castedo był panem z panów. A mój ojciec był przyzwyczajony słuchać panów. Tak, jestem mu wdzięczny, ale nie dlatego mam o nim takie zdanie. Naprawdę myślę, że to był dobry człowiek i dobry malarz.

Mam tylko jeden jego obraz. Chciałbym mieć więcej, ale ode mnie nie wziąłby pieniędzy, a on tak mało malował, że nie mogłem postawić go w takiej sytuacji. Sam don Marcial miał tylko dwa. Jeden to był portret jego żony, który miała Laura. Ten obraz i biurko ojca, to były jedyne rzeczy, które Laura chciała zabrać. Ja nie chciałem mebli, więc je sprzedano. A drugi obraz Laura podarowała mnie...

No... tu jest... spichlerz...

Tak. To jest spichlerz ze dworu.

Laura

Nigdy nie byłam w stanie zrozumieć, jak można coś zaakceptować w taki sposób...

Nie wiem, czy przez to, że nie znosił litości, udawał, że
jest mu wszystko jedno, czy w głębi duszy wolał pozostać
tutaj, jak inni. Jak Benjamín, który mógłby być świetnym
lekarzem, ale wrócił na wieś, żeby zostać takim trochę lep-
szym znachorem; albo jak Ramón de Castedo, wrośnięty
w stary rodzinny dom, na marginesie życia artystycznego,
malujący jak amator...

Paco, gdyby stąd wyjechał, mógłby zostać dobrym architektem, jednym z tych, którzy tworzą wielkie projekty,
wielkie dzieła. Przez długi czas nie odważyłam się dać mu
w prezencie żadnej książki o architekturze, bo wydawało
mi się, że byłoby to rozdrapywanie niezagojonej rany. Ale
okazuje się, że on ma wspaniałą bibliotekę z ostatnimi
nowościami. Wiem to od Maíty. Od lat ma przykazane od
ojca, żeby mu kupowała wszystko na temat wielkich architektów. „Choćby było po fińsku", powiedział.

Paco nie zbudował dla siebie domu. Zawsze chciał mieć
ten, już od dzieciństwa mu się podobał. Czasami podcho-
dził do murów z kamienia i głaskał je, jakby były żywą

istotą. Podobał mu się wybłyszczony kamień od strony słonecznej i jego zielony odcień na północnej ścianie... Teraz dwór jest bardzo zadbany, a drzewka w sadzie dają mu owoce i cień w czasie lata...

Nagle poczułam się taka pusta! Wszystko, co zrobiłam, wydało mi się zupełnie bezużyteczne!... On był tak bardzo na swoim miejscu, otoczony bliskimi, jego matka taka zadowolona, jego dzieci tak dobrze ułożone, i wnuki wnoszące tyle radości do domu...

To właśnie tego w głębi duszy zawsze pragnął; nie twierdzę, że przez rezygnację z innych rzeczy nie cierpiał, ale ja też cierpiałam przez swoje odejście. To sprawa podjęcia decyzji co do wyboru. A on wybrał to, jak Benjamín, jak Ramón de Castedo...

V

Nie wiem, dlaczego podarowała mi ten obraz. Mogę próbować tłumaczyć, co czułem do Laury, ale nie to, co ona czuła do mnie. Już pani powiedziałem, że nigdy nie było to dla mnie jasne, a jeżeli pani zdołała ją rozszyfrować, będę wdzięczny, kiedy mnie pani oświeci...

Będę szczery, myślę, że pani ograniczyła się tylko do powtórzenia słów Laury, ale też jej pani nie rozumiała. Laura wszystko mieszała: wielkie prawdy, które przejęła od ojca, z fantasmagoriami ze swojej głowy. Don Marcial mówił: „Ten, kto więcej daje, zawsze jest bardziej szczęśliwy". I to się sprawdza, jeśli ktoś jest dobry, ma serce niewinnego dziecka, tak jak on albo jak ja w tamtych szkolnych czasach. Mnie wystarczyło być z Laurą i już się czułem szczęśliwy, nie chciałem niczego więcej. Nawet się nie zastanawiałem, czy ona czuje taką samą potrzebę bycia ze mną. Pojawiała się i mnie to wystarczało. Ale człowiek dojrzewa, przestaje być dzieckiem i już mu to nie wystarcza. Musi wiedzieć, czy druga osoba czuje to samo, a jeżeli nie czuje, albo on myśli, że nie czuje – wtedy cierpi i już nie jest szczęśliwy...

Z ojcem Laury i jego żoną było inaczej. On miał pewność, że ona bardzo go kochała. W tamtych czasach i w wyższych sferach wyjść za nauczyciela to było coś takiego, jak wyjść za nędzarza, za człowieka nic nieznaczącego.

Gdyby żył jej ojciec, bardzo możliwe, że by na to nie pozwolił i wydziedziczyłby ją albo coś w tym rodzaju. Dla matki też, jak opowiada Nana, było to duże rozczarowanie, gdyż wtedy były już w trudnej sytuacji finansowej i matka spodziewała się, że Inmaculada wyjdzie za kogoś, kto podreperuje ich dziedzictwo, albo przynajmniej za kogoś z ich klasy, takiego jak Ramón de Castedo. Tak więc don Marcial miał pewność, że jego żona naprawdę go kocha dla niego samego, za jego charakter, za sposób bycia, bo pieniędzy nie miał i za przystojny też nie był. To normalne, że nie mógł o niej zapomnieć: był bardzo zakochany, wiedział, że z wzajemnością, i ona tak młodo umarła; to jest tragedia, takich rzeczy się nie zapomina. Zresztą żadna z tutejszych kobiet nie mogła się równać z doñą Inmaculadą: była taka ładna, tak dobrze ułożona, studiowała w kolegium francuskim; istna księżniczka. Mężczyzna, który miał za żonę taki klejnot, za kim miałby się oglądać?...

Przypadek Laury nie ma z tym nic wspólnego. Już pani wie, że Laura zakochała się w obrazie, kiedy miała trzynaście czy czternaście lat... Był to *Święty Jan* Botticellego, z książki, którą podarował jej Ramón de Castedo. Ona sama pani powiedziała: „To było jak przepowiednia tego, co nastąpiło później... „

Rozumiem; chciała przez to powiedzieć, że zakochała się w kimś, kto istniał tylko w jej głowie, w kimś nierzeczywistym. I podobnie było z mężem. Mężczyzna z obrazu nie mówił i Laura mogła do woli fantazjować na temat jego urody. Ale mąż był człowiekiem z krwi i kości i dlatego nie była z nim szczęśliwa, bo rzeczywistość nie przystawała do tego, co spodziewała się znaleźć pod fizyczną powłoką.

Obsesja brzydkich na punkcie piękności? Tak jej powiedział chyba don Benjamín, bo nikomu nie przypadł do gustu ten narzeczony. Ale Laura nie była brzydka. Nie była tak ładna, jak jej matka, nie można jej było nazwać pięknością. I choć niektórym mogła się nie podobać, to w żadnym razie nie była brzydka, gdzie tam; i zawsze taka elegancka, miała styl, miała coś szczególnego... Ale co chciałem powiedzieć: ja też uważam, że można się zakochać w pięknie. Tamto zdanie don Benjamina popiera moją teorię, że Laurę mogła zafascynować fizyczność tego mężczyzny i połączyła to z ideą niezależności, z pragnieniem życia na swój sposób, ucieczki stąd, zerwania z rzeczywistością odziedziczoną...

Nie wiem, jak długo to u niej trwało... Nie sądzę też, żeby sama Laura wiedziała. Są drogi, z których nie ma odwrotu. Tylko jeśli bardzo wcześnie zdasz sobie sprawę ze swojej pomyłki, możesz jeszcze naprawić błąd i zawrócić po własnych śladach, ale później już nie jest to możliwe. Przebyta droga zbyt ciąży i jeśli się cofniesz albo zmienisz kierunek, będzie to znaczyło, że przegrałeś życie, że wszystko było pomyłką, a to bardzo trudno zaakceptować. To tak, jak z zakonnicami w klauzurze...

Laurę fascynowały śluby zakonnic. Kiedy była małą dziewczynką, chodziła z Naną do Bretemy, żeby oglądać ten ceremoniał, i ja też parę razy poszedłem. To robi ogromne wrażenie, ale mnie się nie podobało i dołożyłem wszelkich starań, by moje dzieci tam nie chodziły. Nowicjuszka, bardzo młoda, przynajmniej kiedyś takie były, klęczy albo leży na ziemi jak martwa za kratami klauzury. Otaczają ją inne zakonnice, już w welonach. Obcinają jej włosy i ubierają w ciemny habit, wtedy ona składa śluby i powtarza „na zawsze”, „na zawsze”. Jest to ostateczna rezygnacja z normalnego życia, rodziny, świata, który zostaje za murami klasztoru. I to wszystko po co? W pewnym momencie przełożona kładzie ręce na głowie nowicjuszki i zapewnia, że jeśli dotrzyma ślubów, ona obiecuje jej życie wieczne. Laura, kiedy uczestniczyła w tych ceremoniach, była jak w transie. Na wszystkich robi to wrażenie, bo w kościele jest ciemno i grają organy, i widok takiej młodej dziewczyny, która na zawsze zostanie zamknięta w tych murach, i przełożonej, która mówi o śmierci i wieczności, chwyta za serce. Ale chciałem pani opowiedzieć, że pewnego dnia, gdy już mieliśmy tak po siedemnaście lat, w czasie świąt w Bretemie, kiedy przechodziliśmy obok klasztoru klauzurowego, Laura powiedziała nagle, ni z tego, ni z owego: „Czy nigdy nie zwątpią, że istnieje życie wieczne?", i przez dłuższy czas rozmawialiśmy na ten temat, to było bardzo charakterystyczne dla Laury, że na zabawie nagle zaczynała mówić o śmierci albo o podobnych rzeczach. Uważałem, i nadal tak uważam, że jeśli one wstępują tam w wieku piętnastu, szesnastu lat i zdarzy im się zwątpić, kiedy skończą lat dwadzieścia, nie myślą, że to zwątpienie; myślą, że to diabeł je kusi, i że muszą odpędzić od siebie wahania. A jeśliby ktoś chciał je przekonać, żeby porzuciły klasztor i wróciły do normalnego życia, modliłyby się za niego, aby Bóg go oświecił i aby zrozumiał swój błąd. Nie mogą wątpić, bo to droga bez odwrotu. Nikt nie może znieść myśli, że poświęcił życie na coś bezużytecznego, na coś, co okazało się pomyłką... I sądzę, że tak samo było w przypadku Laury i jej męża...

Laura chyba pani powiedziała, że jej uczucie do męża trwało całe życie, że zawsze czuła do niego to samo. Jeżeli to prawda, nie rozumiem, dlaczego nie była szczęśliwa. Dlatego jej nie wierzę. Też ją o to spytałem i nie chciała mi odpowiedzieć. Może dlatego, że spytałem źle, w złym momencie i w aroganckiej formie. A może nie wiedziała, co odpowiedzieć...

To było wtedy, kiedy przyjechała posadzić magnolię. Byłem rozdrażniony, strasznie mnie irytowała tym, co robiła i mówiła. Opowiadała mi o swoim młodszym synu; w wieku siedemnastu lat zrobił dziecko jakiejś dziewczynie i musieli ich ożenić. Nie mógł dalej studiować, podjął pracę, pani wie, te szaleństwa młodości. I mówiła też o Maície w taki sposób, jakby sugerowała, że ona także sypiała z kim popadło. Ja nie uznaję tych rzeczy, takiej rozwiązłości. Więc i to, i ta historia z magnolią, wprawiły mnie w zły humor: przyjechała posadzić drzewo, a powinna była wziąć się za rozliczenia, i ten kaprys, że musi je posadzić sama, i w najgorszym miejscu w całym majątku, i ta jej forma traktowania mnie, jakbym w dalszym ciągu był dwunastoletnim Paco, gotowym spełniać każde jej życzenie... Mówiła, że jej syn się uparł, żeby się żenić, i nie słuchał żadnych argumentów, tego, że są za młodzi, że za parę lat będą chcieli odzyskać wolność. I w pewnym momencie powiedziała: „Jak długo u nich to potrwa?". A mnie wyrwało się z głębi duszy: „A jak długo trwało to u ciebie?".

Nie odpowiedziała. Poszła po piwo i przykazała, żebym nie ruszał magnolii, że ona sama ją posadzi; dodała, że magnolia to drzewo bezużyteczne, że będzie bardzo długo rosła, a potem da tylko kwiaty. Tak jakby mnie nie podobały się rzeczy piękne, jakbym szukał tylko pożytku i korzyści...

Powiedziała tak, żeby mi dokuczyć, oczywiście, ale ja też ją zapytałem w złej wierze. Nie powinienem był tego robić, nie w tej sytuacji: była chora, straciła ojca, wyglądała na zmęczoną, smutną i bardzo samotną. Miała kłopoty finansowe i problemy z dziećmi... Ja też byłem wtedy niedługo po stracie żony, trzy lata, ale, odpukać, moje życie było i w dalszym ciągu jest dużo bardziej szczęśliwe niż jej...

Po pierwsze mam tę satysfakcję, że mojej matce dałem wszystko, czego potrzebowała, zapewniłem jej szczęśliwą starość w otoczeniu wnuków, miała troskliwą opiekę, żyła kochana, w wygodnym domu, gdzie na niczym jej nie zbywało. A Laura powinna pomyśleć, jak samotny był don Marcial po jej wyjeździe, jak bardzo brakowało mu czułości i ile niewygód wycierpiał. Więc nie był to odpowiedni moment, by przypominać jej, że ona ponosi odpowiedzialność za życie ojca, które nie było tak szczęśliwe, jak mogło i powinno było być...

Tak, uważam, że zrobiła źle, wyjeżdżając. I że ja zrobiłem dobrze, że tu zostałem. Myślałem o tym tyle razy, że nie muszę się zastanawiać nad odpowiedzią. Ani don Marcial, ani Ramón de Castedo nie mówili mi, co mam robić. Mój ojciec miał nowotwór i tracił wzrok, matka była niemal inwalidką przez artretyzm. Ale gdybym chciał, to załatwiliby mi stypendium i kogoś do pomocy przy rodzicach. Nawet don Gumersindo mi zaproponował, że porozmawia z biskupem z Bretamy, żeby ich przyjęto do przytułku i wtedy mógłbym studiować na uniwersytecie. Wszyscy uważali, że mam talent i że w ogólnym rozrachunku nawet dla rodziców będzie lepiej, jeżeli będę dalej studiował. Ale don Benjamín powiedział, że ojciec nie przeżyje sześciu lat moich studiów na architekturze, a matka prawdopodobnie tak samo, bo z ludźmi, którzy nigdy się nie ruszali z miejsca swojego urodzenia, jest tak samo jak z roślinami, które wyrywasz z korzeniami i przesadzasz do innej ziemi: często usychają i giną nie wiadomo dlaczego. Więc postanowiłem zostać tutaj i opiekować się nimi do śmierci. Don Marcial i wszyscy inni pochwalili tę decyzję. A ja nigdy jej nie żałowałem, przeciwnie, cieszę się, że ją podjąłem.

Moja córka Maíta uważa, że źle zrobiłem, nie z moralnego punktu widzenia, ale że jednak powinienem iść na uniwersytet. I dlatego sądzę, że Laura też tak myślała. Maíta, już pani mówiłem, zawsze była pod jej silnym wpływem. Moja córka uważa, że mógłby być ze mnie co najmniej drugi Mies van der Rohe. Myśli, że jej ojciec

53

jest geniuszem. I oczywiście się myli. Geniusz zawsze wypłynie, choćby miał nie wiadomo ile kłód pod nogami. To nie mój przypadek. Ja byłbym architektem, a nie pomocnikiem architekta i od początku mógłbym sam podpisywać swoje projekty, zamiast szukać wspólnika, który by je podpisywał. To byłaby jedyna różnica. A ja miałbym okropne wyrzuty sumienia... Choć może i nie, bo kiedy podejmujesz taką decyzję, szukasz też jakichś kompromisów z sumieniem. Niełatwo żyć z myślą, że postąpiłeś podle w stosunku do rodziców, i wtedy mówisz sobie, że masz tylko jedno życie i że musisz je przeżyć po swojemu, i odnaleźć samego siebie, pani wie, argumentacja z rodzaju tych, jakie przytaczała Laura. Ale tamtego dnia, kiedy sadziła magnolię, była bardzo smutna i bardzo samotna, i nie powinienem był tak z nią rozmawiać. Nigdy, aż do tego momentu, nie chciałem świadomie jej zranić.

Chyba to z powodu Maíty, przez to, jak o niej mówiła. Zdałem sobie sprawę, że wie o mojej córce dużo więcej niż ja sam, i więcej, niż wiedziałaby jej własna matka. Poczułem, jakby ona ją ode mnie odsuwała, jakby zawłaszczała sobie moją córkę, bardzo dziwne uczucie.

I też mnie denerwowało, że sadzi tę magnolię tutaj, w nieodpowiednim miejscu, w nieodpowiednim czasie, i że to ja mam ją pielęgnować albo wyrwać, tak jak drzewko granatu, znowu ta sama historia po tylu latach...

Laura nie odpowiedziała na moje pytanie. Poszła do dworu po piwo. Tamtego dnia było bardzo gorąco. Powiedziała, żebym nie dotykał magnolii. I spojrzała na mnie. O Boże! Te Laury spojrzenia... Jakby człowieka mierzyła wzrokiem, jakby go taksowała. Jeśli tak patrzyła na swojego męża, a na pewno to robiła, nie dziwię się, że szukał pocieszenia u innych...

Laura

Jak długo? Jak długo potrwa radość? Na jak długo starczy dumy?
Ilu ludzi myślało, że to była sprawa łóżka! Nie wyprowadzałam ich z błędu, ale tak nie jest, i nigdy nie było; jeśli o to chodzi, z tobą było o wiele lepiej, widzisz, czułam rozkosz tak rzeczywistą, tak konkretną, jak zapach jabłek, które toczyły się po podłodze, i dotyk szorstkiej maty.

Z Fernandem było inaczej i nie miało to związku z łóżkiem, a jeżeli miało, to w innym, dużo subtelniejszym znaczeniu. Mnie wystarczało być obok niego. Całymi godzinami przyglądałam mu się, kiedy ćwiczył na pianinie. Nie słuchałam muzyki, patrzyłam na niego: na jego twarz, ręce, gesty, pochylenia głowy, na sposób, w jaki zamykał oczy i w jaki je otwierał, żeby sprawdzić, czy wciąż tam jestem i podziwiam go w milczeniu, na jego uśmiech... Być może dlatego nie chciał mieć dzieci: potrzebował całej czułości, całej uwagi tylko dla siebie.

Byłam szczęśliwa, bo mogłam się nim opiekować, bo czułam się ważna w jego życiu. Miał zwyczaj mawiać:

„Jesteś ładem w moim nieładzie", i myślę, że tym właśnie byłam: sekretarką, przyjaciółką, kochanką, pielęgniarką, służącą... Ładem w jego nieładzie, tym, czym wcześniej był Giovanni. Kiedy mnie poznał, powiedział do Fernanda: „Tu hai fatto una buona scelta", bez urazy, tylko z jakimś takim spokojnym smutkiem, którego wtedy jeszcze dobrze nie rozumiałam. Musiał go bardzo kochać, to pewne. Jak można wzbudzać tak wielkie uczucie, tak mało dając w zamian?!...

Bezużyteczne drzewa, takie jak ta magnolia, której kwiatów nigdy nie zobaczę.

Miłość to nie fizyczna przyjemność, nie czułość, nie zrozumienie, nie uwielbienie. To jedyne uczucie, które nie potrzebuje podmiotu, żeby utrzymywać się przy życiu: wzmagają je przeciwności losu, nieobecność, odległość; nawet śmierć nie daje mu rady...

Miłość to coś, co sami wymyślamy, żeby żyć. Jak powiedział Machado:

Każda miłość jest fantazją;
Ona wymyśla lata, dni,
Godziny i ich melodię;
Wymyśla kochanka i, co więcej,
Kochankę. Nie jest dowodem przeciwko miłości,
To, że kochanka nigdy nie istniała.

VI

Tu się dobrze siedzi. Widok jest wspaniały. Pod tym względem miałaś rację, Lauro... Dobrze się siedzi, bo zrobiłem tę ławkę i ten mur osłaniający od wiatru, inaczej nikt by tu nie wytrzymał. Długo myślałem, żeby znaleźć takie rozwiązanie, które by mnie zadowoliło. Przejrzałem wszystkie swoje książki z dziedziny architektury, ale nie wyszukałem nic, coby tu pasowało, więc ten pomysł zaczerpnąłem z własnej głowy. Przypuszczam, że tobie też się podoba...

Moje domy ci się podobały, przynajmniej tak mówiłaś. Mur zbudowałem, żeby ochronić drzewko, kiedy rosło, a ławkę, żeby móc usiąść, i chciałem mieć coś wygodnego, żeby oprzeć plecy. Dlatego zrobiłem ją z drewna, jest ładna, a poza tym zimą się tak nie wychładza. A mur, jak widzisz, pokrył się mchem i wielu turystów robi sobie tu zdjęcia, jedni myślą, że to ruiny jakiegoś romańskiego kościoła, a inni, bo miejsce po prostu im się podoba. Latem trzeba mieć zawsze zamkniętą furtkę, bo ludzie ciągną jak na pielgrzymkę... Tobie może to się wydać kiczowate, ale musisz przyznać, że nie wygląda źle, a dzięki tym murom drzewko się uratowało, bo wpakowałaś mnie w niezłą kabałę...

Są dziesiątki rodzajów magnolii, niektóre dość odporne i szybko rosnące. Ale ty wybrałaś najtrudniejszą, najpowolniejszą, i... najpiękniejszą, to fakt. Czasem myślę, czy wybrałaś na chybił trafił, ale Maíta mi powiedziała: „Nie chce mi się wierzyć, że znając Laurę w ogóle możesz tak mówić"...

Wybrałaś ją na podstawie zdjęcia, na pewno, tę, która najbardziej ci się podobała i nie zainteresowałaś się, czy nadaje się do tego klimatu, i nawet nie poszukałaś bardziej osłoniętego miejsca. Maíta mówi, że byłaś pewna, że ja jej dopilnuję. Ona też była tego pewna. To pochlebne, że macie do mnie tyle zaufania, tylko wścieka mnie myśl, że pamiętacie o mnie nie wtedy, kiedy robicie, co wam się żywnie podoba, tylko kiedy zaczyna się problem...

Jak ta dziewczyna jest do ciebie podobna. Czasem na nią patrzę i nawet fizycznie mi ciebie przypomina; te miny, ten sam sposób mówienia i patrzenia, niektóre rysy... Zastanawiam się, czy to, o czym człowiek myśli, może znaleźć odbicie w dziecku. A w tamtych pierwszych latach tyle myśli kłębiło mi się w głowie... I też się zastanawiałem, zastanawiałem wtedy i tyle razy potem, czy twój starszy syn... Nie wiem. Mówili, że urodził się przed czasem. Ale sobie tłumaczę, że gdyby był mój, to byś mi powiedziała. Nie wtedy, ale kiedyś... A może i nie, takich rzeczy lepiej nie mówić. On nie przywiózł urny, tylko ten młodszy, a ten jest podobny do ojca. Maíta mówi, że ten drugi jest bardzo ciemny. Opowiadała mi, że pracuje jako lekarz w Nowym Jorku i że świetnie mu idzie; powiedziała, że lekarze w Stanach są bardzo szanowani i jeśli są dobrzy, zarabiają dużo pieniędzy, i że ten młodszy w życiu codziennym jest okropnie niezaradny, jak jego ojciec. Miałem wrażenie, że chciała powiedzieć coś więcej na temat starszego. Rzuciła: jest bardzo ciemny i spojrzała na mnie, wydawało się, że chce coś dodać, ale się powstrzymała i zaczęła mówić o jego zawodzie... Możliwe, że ona też o tym myślała.

Nie powinnaś była jej mówić o nas. Wiem, że Maíta zadaje bardzo bezpośrednie pytania, ale mimo to nie trzeba było. Gdybyś ją teraz słyszała; z wiekiem zrobiła się jeszcze bardziej kategoryczna, bardziej bezkompromisowa, a jest tak inteligentna, że często trudno ją zbyć, jak się przy czymś uprze. Ale, w każdym razie, na takie pytania nie należy odpowiadać, a w ostateczności trzeba zaprzeczyć, bo powiedzenie prawdy nic nie daje, poza tym, że sprawia się cierpienie i pobudza do następnych pytań. Lepiej jest uciąć rozmowę, powiedzieć nie, i koniec. Isabel któregoś dnia, przed samym ślubem, zadała mi takie pytanie. Zapytała, czy z tobą spałem. Myśmy już wtedy żyli ze sobą. Mieliśmy wyznaczoną datę ślubu i... no, w każdym razie żyliśmy ze sobą, i pewnego dnia zapytała mnie, czy z tobą spałem. Jestem pewien, że potem zapytałaby, z kim było mi lepiej i czy myślę o tobie, czy za tobą tęsknię i tak dalej, i tak dalej, więc zdecydowanie zaprzeczyłem. Wtedy ona spojrzała mi w oczy i zapytała: „Przysięgniesz?" – a ja gotów byłem przysiąc. Co by mi szkodziło wezwać Boga na świadka w takiej sprawie? Jeśli Bóg istnieje, to zrozumie, a jeśli nie, to nic nie ma znaczenia. Ale ona zasłoniła mi usta, najpierw ręką, a potem ustami. Powiedziała: „Nie chcę, żebyś fałszywie przysięgał". I pocałowała mnie i znowu się kochaliśmy. Nigdy więcej nie wróciła do tego tematu. I ja nigdy więcej nie rozmawiałem o tym z nikim.

Ale ty opowiadałaś o tym każdemu. Nie wiem, czy nawet nie opowiedziałaś Ramonowi de Castedo. Choć możliwe, że on sam widział, jak wchodziliśmy do spichlerza tamtego popołudnia. Ten obraz namalował, jak już stąd wyjechałaś. Wydaje się, że ze spichlerza biją promienie jak z monstrancji Najświętszego Sakramentu. Kiedy zaczyna zachodzić słońce, światło przenika między deskami i daje taki efekt, ale mnie ten obraz przypomina tamto popołudnie, z promieniami słońca na twoim nagim ciele i w twoich włosach. Później setki razy widziałem spichlerz o zachodzie słońca, ale nigdy nie był taki, jak ten na obrazie, płonący jakby żywym ogniem. Być może, że widział, jak tam wchodziliśmy i kiedy tak długo nas nie było, wyobraził sobie, co mogło się zdarzyć. Dlatego namalował go w ten sposób, jako coś tajemniczego i pełnego światła, podczas gdy jest to tylko zwykły spichlerz. Albo ty mu się zwierzyłaś, a kto tam wie, co mogłaś mu naopowiadać...

Ilu osobom opowiedziałaś swoje życie? Z wyjątkiem mnie każdemu, kto chciał słuchać, nawet tej nieznajomej, która potem to opisała, żeby wszyscy mogli sobie poczytać. Opowiadałaś wszystko i po swojemu. A czasami się myliłaś...

Powiedziałaś tej pisarce, że ja nigdy nie byłem zakochany w Isabel, że mi się podobała i że z czasem zrodziło się uczucie, ale że nie byłem w niej zakochany. A można wiedzieć, skąd ci to przyszło do głowy?... Ja za Isabel oddałbym życie, myślisz, że to mało?...

Wiem, życie można też oddać za dziecko albo za matkę, a to inny rodzaj miłości. Ale nie tak zupełnie inny. Ty myślisz, że miłość to tylko to, co czułaś do Fernanda, ale skąd ja mogę wiedzieć, co właściwie do niego czułaś: jeśli chodzi o miłość fizyczną, wolałaś mnie, tak mi powiedziałaś, ze mną czułaś większą rozkosz. Ani go nie podziwiałaś. Ja mogę być prostym pomocnikiem architekta, który kopiuje dzieła wielkich mistrzów, ale on przeskakiwał nuty na koncertach, sama mu to wytknęłaś. Był tym urażony, i słusznie, bo człowiek nie oczekuje od osoby, która go kocha, żeby mu wytykała defekty, on wie o nich aż nadto dobrze. Fernando grał najlepiej, jak mógł i nie był taki zły, skoro go kontraktowano, ale tobie by się podobało, gdyby był Rubinsteinem, a ja gdybym był Van der Rohem.

Mówiłaś, że miłość nie jest ślepa, że miłość widzi defekty, że człowiek zakochuje się, mimo że sobie zdaje z nich sprawę, ale oczekuje, że partner je przezwycięży i osiągnie swoje „lepsze ja". Maíta przywiozła mi te wiersze, no wiesz, te, które tak często cytowałaś:

Wybacz, że szukałem ciebie
W tobie tak nieporadnie.
Wybacz ten ból niekiedy,
Ale chciałem tam znaleźć
Twoje najlepsze ja.

To brzmi bardzo ładnie, ale w życiu, Lauro, takie wymagania mogą okazać się nie do zniesienia. Wiem, że nie jestem najlepszym architektem, choć takim mógłbym być, że nawet nie skończyłem studiów, choć mógłbym je skończyć. Ale nie lubię, kiedy mi się to stale przypomina. Jeśli coś u Maíty mnie wyprowadza z równowagi, to właśnie to. Już mi tego nie mówi w oczy, ale widać po niej, że tak myśli: jakim wspaniałym architektem mógłby zostać! Nie będę klął i szargał jej maci, bo ta mać to moja żona, ale kiedy widzi coś, co zrobiłem, wiem z jej miny, że myśli, czym to ja bym nie był, gdybym poszedł na uniwersytet i poświęcił się wyłącznie karierze, zamiast opiece nad rodzicami. Wydaje mi się, że cokolwiek zrobię, nigdy nie będę w stanie jej zadowolić. I to samo z tobą. Pewnie było podobnie w przypadku twojego męża, dlatego szukał uczennic, które podziwiały go bez zastrzeżeń.

Wszyscy potrzebujemy być podziwiani, choć przyjmujemy krytykę w dobrej wierze i nawet jesteśmy za nią wdzięczni. Krytyka może nam pomóc się rozwijać, ale podziw podnosi nas na duchu i daje dobre samopoczucie. Pamiętam, jak któregoś dnia przeglądałem z Isabel książkę o architekturze. Były tam wspaniałe rzeczy Alvara

Aalto. Isabel obejrzała je razem ze mną, a potem powiedziała: „A mnie bardziej podoba się to, co ty robisz".

Być może myślisz, że to nie jest miłość, tylko ignorancja. Ale mylisz się, bo ignorancja równie dobrze mogłaby sprawić, że nie akceptowałaby moich prac. Nie są podobne do tych, do których jest przyzwyczajona. Nie wszystkim się podobają. Moimi klientami są zawsze ludzie wykształceni albo ktoś miejscowy, kto sobie pomyśli, że jak ci ze stolicy tak budują, to coś w tym musi być. A jej się podobały, bo była we mnie zakochana...

Wiem, nie kwestionujesz, że Isabel była we mnie zakochana, tylko że ja byłem zakochany w Isabel. Więc chcę ci powiedzieć, że to, co czułem do Isabel, to była miłość, miłość oparta na fizycznym pociągu i czułości odczuwanej każdego dnia. Gdyby to ode mnie zależało, oddałbym jej połowę swojego życia i wtedy resztę naszych dni przeżylibyśmy razem. I zapewniam cię, że nikt nie zapełni pustki, którą zostawiła.

Krótko po twoim wyjeździe Benjamín powiedział mi któregoś dnia: „Kobieta, którą trzymasz w ramionach, zawsze więcej może niż ta, o której marzysz". Ramón de Castedo nie zgadzał się z tym, twierdził, że czasami człowiek woli marzenia. Ale ja nie. Ja wolę życie realne. Ja chciałem żyć. I żyłem z Isabel, i kochałem ją. Ona była tą kobietą, którą trzymałem w ramionach i to ona dała mi dzieci i wiele chwil szczęścia...

Ale widzisz, na cmentarz chodzę raz na tydzień, żeby zmienić kwiaty. A tutaj przychodzę codziennie, siadam na tej ławce pod magnolią i rozmawiam z tobą. W życiu czasem tak jest...

Ty zawsze byłaś kobietą moich marzeń. A teraz nie mam kogo wziąć w ramiona. Dlatego przychodzę codziennie tutaj. Z nią nigdy nie mogłem porozmawiać tak, jak rozmawiam z tobą, a ty jesteś dla mnie w dalszym ciągu tym samym, czym zawsze byłaś. Dlatego przychodzę...

Laura

Wiedziałam, że Paco darzy mnie specjalnym uczuciem, którego nie chciałam nazywać miłością, bo wydawało mi się, że miłość to tylko to, co ja czułam do Fernanda, albo ty do mamy; to znaczy coś tragicznego. A Paco nie pasował do tragedii, on nie był romantykiem.

Pamiętasz, co mówił Ramón de Castedo? Są dwa sposoby na życie: romantyczny i klasyczny. Romantyk po stracie złudzeń wpada w rozpacz, staje się sceptykiem i już w nic nie wierzy. Klasyk przeciwnie, tracąc złudzenia, zyskuje dojrzałość, a z nią spokój; akceptuje swoje ograniczenia i osiąga aurea mediocritas, co jest jego sposobem na osiągnięcie szczęścia. Ramón mówił też, że Paco miał tylko dwa marzenia w życiu: zostać architektem i ożenić się ze mną, z córką nauczyciela, z wnuczką państwa ze dworu, podkreślał.

Ja zawsze uważałam, że Paco jest klasykiem, ale być może się myliłam...

VII

Szczerze mówiąc nie bardzo wypada, żeby wzgardzony zalotnik mówił o rywalu, który odszedł z dziewczyną. Musi pani wziąć pod uwagę, że to, co ja wiem na ten temat, to wiejskie plotki, tutejsze komentarze. I jeszcze to, co mówili przyjaciele don Marciala, ewidentnie, żeby mnie pocieszyć. Nigdy nie rozmawialiśmy o tym bezpośrednio, pani wie, ten męski opór przed wyjawianiem uczuć. Ale czasem usłyszałem jakiś komentarz, który – jak teraz widzę – miał na celu złagodzić mój żal i mój smutek, rzucające się w oczy dużo bardziej, niż mi się wówczas wydawało. A wszystko poza tym to już są moje domysły. Chciałbym, żeby jedna rzecz była całkiem jasna: Laura nie zostawiła mnie dla innego. Chcę powiedzieć, że nigdy nie była moją narzeczoną. Nigdy nie było między nami żadnych wyraźnych deklaracji ani przyrzeczeń. Nie mogłem jej niczego wyrzucać, bo niczego mi nie obiecywała. W pewnym sensie, jeśli ktoś mógłby uważać się za okłamywanego czy zdradzonego, to raczej on, Fernando, bo był jej narzeczonym, za niego miała wyjść za mąż i to jemu przyprawiła rogi ze mną.

Jedyne, co mam jej do zarzucenia, to że mi o nim nie powiedziała. Chodzili ze sobą parę lat przed ślubem. Musiała go poznać już na samym początku studiów albo trochę później, a wyszła za niego dopiero po skończeniu konserwatorium. I nigdy mi nic nie powiedziała. Spędzała tutaj każdego lata ponad miesiąc, a także przyjeżdżała na Wielkanoc i Boże Narodzenie. I zawsze sama. Następnego dnia po przyjeździe wpadała do mojego domu, rozmawiała z matką i ojcem, kiedy jeszcze żył. Z ojcem tylko się witała i pytała go o zdrowie, nic więcej, ale z matką wdawała się w pogawędkę. Wypytywała ją o ludzi z wioski, tak samo jak Nanę. Ramona de Castedo i don Benjamina nie odwiedzała, bo oni jak zwykle przychodzili do jej ojca, więc widywała ich we dworze. Ale do wielu domów zachodziła, żeby się przywitać, na przykład do sióstr Castedo, ot, ludzi tego typu. Tylko z Carmiñą, która była naszą koleżanką ze szkoły, a potem została nauczycielką, utrzymywała jakie takie stosunki i czasami można je było zobaczyć spacerujące razem. Ale to zawsze ona przychodziła do tego kogoś, kogo chciała widzieć. Po części dlatego, że z reguły byli to ludzie starsi, więc ona ich odwiedzała, jak tego wymagał zwyczaj, ale też – jak w przypadku Carmiñi i innych dziewcząt w jej wieku – bo na wsi nadal istniała świadomość różnic społecznych. Laura była panienką ze dworu, była nią w dalszym ciągu, i wszyscy cieszyli się, kiedy przystawała, żeby z nimi porozmawiać, ale nie przyszłoby im do głowy zaprosić ją do siebie, rozumie pani? I ze mną było tak samo. Wpadała i pytała, czy moglibyśmy się umówić na następny dzień, żeby pójść tam czy tam, albo po prostu żeby się przejść, i tak umawialiśmy się z dnia na dzień. Wypytywała mnie o dziewczyny, i brała mnie pod włos: „Nana mówi, że jesteś bardzo zakochany w takiej albo takiej", i tym podobne rzeczy...

Ja bąkałem, że nie, że to intrygi Nany, albo udawałem tajemniczego. Czasami już przygotowywałem sobie, co jej powiem w następne wakacje. I zawsze byłem niezadowolony. Jeśli zaprzeczałem, to potem wściekałem się, że weźmie mnie za niewiniątko bez doświadczenia. A jeśli dawałem do zrozumienia, że kogoś mam, a nie chcę o tym mówić, bałem się, że ona na tej samej zasadzie też będzie coś ukrywać.

Ja jej nie pytałem. Krępowałem się, a poza tym miałem obawy, że potwierdzi to, co wiedziałem od Carmiñi: że w Madrycie chodzi z muzykiem, z pianistą. Ona tego nie ukrywała, nie ukrywała przed innymi, ale mnie nie powiedziała ani słowa, unikała tego tematu, a ja nie odważyłem się zapytać. Tylko raz napomknęła coś mimochodem. Ale obydwoje wiedzieliśmy, że drugie wie, bo takie wiadomości rozchodzą się lotem błyskawicy. W całej wsi było głośno o tym narzeczonym z Madrytu. Niemożliwe, żeby to do mnie nie dotarło, tak że w pewnym sensie nie musiała mi nawet mówić...

Ja też nie opowiadałem jej o Isabel, to prawda, ale te sprawy są nieporównywalne.

Proszę pani, mam wrażenie, że pani jest, jakby to powiedzieć, po stronie Laury. Ja mówię, że ona nie wspomniała mi o Fernandzie, a pani mnie pyta, czy mówiłem jej o Isabel, jakby to były równorzędne sprawy. A tego nie można porównywać. To, co było między mną a Isabel, wiedzieliśmy tylko my oboje i nikt poza tym. Ja wiedziałem, że się jej podobam, bo takie rzeczy można zauważyć, jeśli druga strona chce, by zostały zauważone. I ona wiedziała, że podoba się mnie, bo ja też się z tym nie kryłem; ale ani ja nie mówiłem o tym z nikim, ani nie sądzę, żeby ona z kimś na ten temat rozmawiała...

Ktoś, kto chce się przyczepić, może pomyśleć, że kiedy nie zdobyłem panienki ze dworu, ożeniłem się z najbogatszą panną ze wsi, bo w końcu na to wyszło.

Jestem przekonany, że niejeden tak pomyślał. Na pewno niektórym nie było to w smak, szczególnie tym bogatszym. Isabel była ładną, inteligentną i poważną panną. I okazało się, że jej ojciec ma dużo pieniędzy. Prawdziwy skarb. W pewnej mierze mniej by im przeszkadzało, gdybym ożenił się z Laurą. Laura nie miała pieniędzy, więc nie była łakomym kąskiem dla trzech czy czterech burżuazyjnych rodów, które te pieniądze miały. A z powodu swojej pozycji społecznej dla większości była poza zasięgiem ich oczekiwań; nie należała do dziewcząt, którym ktoś ze wsi mógłby się oświadczyć. Z góry zakładano, że wyjdzie za kogoś z zewnątrz, zwłaszcza kiedy wyjechała na studia do konserwatorium. To, że studiowała muzykę, było czymś niezwyczajnym, jak i to, że na zabawach wyciągała mnie do tańca. Dziewczęta tak nie postępowały. Ja mogłem być jej kaprysem, w ramach jej dziwactw to uchodziło, a zresztą, to mogło być dziedziczne. Jej matka wyszła za nauczyciela; takie wielkopańskie zachcianki, pani rozumie? Teraz inaczej się do tego podchodzi, w ciągu pięćdziesięciu lat zaszły takie zmiany, że niektóre sprawy trudno pojąć, ale kiedyś tak było.

Isabel, przeciwnie, była dobrą partią dla każdego. Jej rodzice byli rolnikami, mieli ziemię i bydło. Pochodzili z gór, z jakiejś zabitej wsi, którą śnieg zimą odcinał od świata. Na pierwszy rzut oka nikt by ich nie posądził o pieniądze. W rzeczywistości tych pieniędzy nie mieli. Mieli bydło – krowy w górach – i ziemie po drugiej stronie gór, tej wychodzącej na morze. Może sobie pani wyobrazić, co się działo, jak ruszyła zabudowa. Ale kiedy sprowadzili się tutaj, nikt o tym nie wiedział. Ojciec był mądrym człowiekim. Pierwszy kupił sobie traktor i chciał, żeby Isabel studiowała. Ale jej nie ciągnęło do nauki. Zdała maturę i potem przez dwa lat była w szkole zakonnej.

Skończyła kierunek handlowy, bo tak zażyczył sobie ojciec, chciał, żeby umiała prowadzić mu rachunki, bo była jedynaczką i jej miał zostawić wszystko, co posiadał, a nie było tego mało.

Kiedy jeszcze mieszkali w górach, przez pierwszy rok ojciec przywoził ją codziennie do szkoły don Marciala na koniu, zimą była owinięta kocem, a na głowie miała czapkę z owczej wełny. Pamiętam bardzo dobrze. Przypominała lalkę, taka mała z ogromnymi oczami, bardzo ładna od maleńkości pomimo tej czapki. Pamiętam dzień, kiedy przyszła do szkoły. Ojciec zsadził ją z konia i czekał na don Marciala przy drzwiach. Przyciskała do piersi szmacianą lalkę i stała nieruchomo, patrząc na obu mężczyzn szeroko otwartymi oczami, nie miała odwagi płakać, ale była bardzo przestraszona. Don Marcial pogłaskał ją po głowie, powiedział coś do niej serdecznie i wziął za rękę, żeby wprowadzić do klasy. Jej ojciec zrobił ruch, jakby chciał zabrać lalkę, ale don Marcial powiedział mu, że nie, żeby ją zostawił. I to jest najwyraźniejsze wspomnienie Isabel z czasów, kiedy była małą dziewczynką. W wełnianej czapce i z lalką w objęciach. Wiele lat później, kiedy widziałem ją z dziećmi albo wnukami w ramionach, przypominałem sobie tamten obraz, bo trzymała je tak samo, tylko jedną ręką przyciskając do piersi albo podtrzymując na biodrze. Ja zawsze się bałem, że dziecko mi wypadnie i przyciskałem je mocno, a Isabel nosiła je tak, jakby było częścią jej ciała, z absolutną naturalnością, jak tamtą lalkę.

Następnego roku jej ojciec kupił dom we wsi i odtąd do szkoły przyprowadzała ją matka. Matka też nauczyła się czytać. Don Marcial chodził do nich do domu, żeby ją uczyć, a oni dobrze mu płacili, to mi mówiła Laura. Don Marcial, kiedy kończył lekcje z dziećmi, dawał lekcje dorosłym za darmo, ale widać matka wstydziła się przychodzić do szkoły, była to bardzo nieśmiała kobieta, a zresztą mogli sobie pozwolić, żeby nauczyciel przychodził do nich. Don Marcial z tych pieniędzy pomagał innym, uprawiał swego rodzaju sprawiedliwość rozdzielczą. W ciągu tego roku matka i córka bardzo się zmieniły, wyrobiły się. Ojciec został, jaki był, ale jego żona przestała nosić chodaki, zaczęła chodzić w butach i dobrze się ubierać, a Isabel już nie nosiła wełnianej czapki.

Kiedy się pobieraliśmy, już było wiadomo, że ojciec Isabel ma ziemie warte mnóstwo pieniędzy, tak że niejeden pomyślał, że poszukałem sobie dobrej partii. Ale większość ludzi była mi życzliwa. Miałem renomę poważnego i pracowitego chłopaka, wszyscy wiedzieli, że wytrzymałem z moim ojcem i że od dziecka zajmowałem się i opiekowałem matką, więc ludzie czuli do mnie sympatię. A ponadto szybko zacząłem całkiem nieźle zarabiać na życie, pod tym względem miałem dużo szczęścia, i w kilka lat po ślubie już zupełnie nie potrzebowałem pieniędzy Isabel...

Ale na początku, tak; pierwsze domy zbudowałem na terenach, które należały do jej rodziny. Sprzedałem je ludziom, którzy wracali w rodzinne strony, a potem już poszło jak po maśle...

Laura tylko raz wspomniała o swoim narzeczonym. Mimochodem, jak już mówiłem, ale zrozumiałem, że ma to być rodzaj wyjaśnienia. Była to jedna z tych sytuacji, kiedy ona mnie wypytywała. Wtedy kręciłem z taką dziewczyną... no, to nie była dziewczyna, tylko nauczycielka, która przez jakiś czas zastępowała don Marciala, kiedy poszedł na operację katarakty. Była to młoda kobieta, ale starsza ode mnie, i wiedziała, czego chce, i... no, nieważne, w każdym razie coś między nami było. I oczywiście wydało się, bo pani wie, w takiej małej miejscowości domy są ze szkła, a ściany mają uszy. No więc Laura zapytała mnie, czy jestem zakochany, czy w dalszym ciągu się z tamtą widuję, bo wiedziała, że ona pracuje jako nauczycielka niedaleko stąd. Ja wtedy wykorzystałem sytuację i zapytałem: „A ty?". Pamiętam jak dzisiaj, zapadał zmierzch, siedzieliśmy na kamieniach na wzgórzu przy Sancidrán. Widać było całą dolinę i Laura powiedziała: „Jeszcze nie wiem, co zrobić z moim życiem... – I spojrzała w dół, na dolinę i na swój dom: – Nie wiem, czy chcę wyjechać, czy chcę tu zostać. – I powtórzyła: – Jeszcze nie wiem".

Zrozumiałem, że nie chodziło tylko o mnie i o tego drugiego. To nie było przeciwstawienie mężczyzny mężczyźnie, chodziło o całość, o coś, czego nie można było rozdzielać na części: o tę ziemię, ten sposób życia. Zrozumiałem to, bo sam już podjąłem decyzję i nie miałem zamiaru jej zmieniać, nie mogłem jej zmienić, obydwoje to wiedzieliśmy. A ona dopiero musiała ją podjąć.

Pomyślałem, że jeżeli Laura zostanie, wyjdzie za mnie, a jeżeli wyjedzie, to nie dlatego, że jest zakochana w innym mężczyźnie, że woli tamtego, ale dlatego, że wybiera inny rodzaj życia. Odchodząc, zostawi nie mnie, zostawi wszystko: ojca, dom, tę ziemię, to życie. Poczułem, że się przede mną tłumaczy i po swojemu prosi o czas do namysłu. I jednocześnie zdałem sobie sprawę, że jakiekolwiek nastawanie na nią nie ma sensu, że tę decyzję musi podjąć ona i tylko ona.

Dlatego nigdy nie byłem zazdrosny o jej męża, bo Laura nie zostawiła mnie dla niego. A nawet, jeśli wybaczy mi pani pewną zarozumiałość, powiem, że przeciwstawiając mężczyznę mężczyźnie, Laura wolała mnie...

Laura

Nie mogliście tego zrozumieć. Jeden jedyny mój ojciec.
Obsesja brzydkich na punkcie piękna, jak powiedział Benjamín. I miał rację.

To nie było samo piękno, był jeszcze szczególny wdzięk, dar fascynacji, czarowania. On ma to do tej pory, pomimo upływu lat: jak rysunek, którego linie się zacierają, ale zachowują jeszcze nadaną formę; jak zapach, który trwa, choć róże już zwiędły. Dzieci też to czuły. Kiedy czasami, bardzo rzadko, pozwalał im zostać w studio, gdzie ćwiczył, siadały na podłodze oparte o ścianę, bez ruchu, w najgłębszej ciszy i patrzyły na niego szeroko otwartymi oczami, usidlone czarem, który z niego emanował i który docierał także do publiczności.

Nie był to kaprys, upór, a potem już „klamka zapadła"; nie. Jeszcze dziś często mu się przyglądam: jego wrażliwej twarzy, subtelnym, długim dłoniom, które zakłada jedna na drugą, żeby ukryć drżenie, i myślę: „Co mnie obchodzi cała reszta, co mnie obchodzi wszystko inne"...

VIII

Nie wiem, czy zazdrosna to odpowiednie słowo. Osoby zazdrosne zwykle są nie do zniesienia: podejrzliwe, nieufne, poświęcają dużo czasu na szpiegowanie partnera albo na wypytywanie go o jego znajomości... Laura nie była taka. Pytała mnie, z kim chodzę albo czy jestem zakochany, ale to w pewnym sensie było normalne po tak długim okresie niewidzenia. Raczej można się dziwić, że ja o to nie pytałem. A na pewno byłem bardziej zazdrosny niż ona, chcę powiedzieć, że mnie bardziej dręczyła jej znajomość z Fernandem niż ją moja z nauczycielką czy jakąkolwiek inną kobietą. Dlatego jej zdanie, że nie byłem zakochany w Isabel, jest przykładem tego, co chcę wyrazić. Laura nie chciała przyznać, że inna kobieta mogła być dla mnie ważniejsza niż ona, i dlatego założyła, że ożeniłem się, bo chciałem mieć rodzinę, bo Isabel miała dobry charakter i była ładna, ale że to ona, Laura, w dalszym ciągu była tą kobietą, w której się kochałem...

Nie wchodziła tu także w grę próżność ani egoizm. Laura była wielkoduszna i nigdy się nie wywyższała ani nie przechwalała. Myślę, że w tym wypadku czuła wielką potrzebę, by być kochaną, albo nawet więcej, niezastąpioną. Myślę też, że bardziej to niż miłość trzymało ją przy boku męża aż do jego śmierci...

Ojciec ją uwielbiał, a jego przyjaciele, starzy kawalerowie, również. Mimo że chowała się bez matki, nigdy nie brakowało jej miłości. I może tu kryła się przyczyna: nie tęskniła za matką, bo nie wiedziała, co to znaczy mieć matkę, ale czuła, że czegoś jej brakuje. Chociaż ja uważam, że don Marcial był dla niej i ojcem, i matką. Wychowywał ją, wyjaśniał życiowe problemy, był jej nauczycielem, ale jednocześnie miał dla niej tyle czułości, ile mają tylko matki. Patrzę teraz, jak moi synowie i zięciowie traktują swoje dzieci, i widzę, że robią rzeczy, których ja nie robiłem. To Isabel bez przerwy pieściła dzieciaki i mówiła do nich tym infantylnym językiem, który mnie jakoś nie wychodzi. Ja brałem je na ręce, bawiłem się z nimi trochę i całowałem, ale pomimo wszystko reprezentowałem dyscyplinę i autorytet w rodzinie. Teraz to się zmieniło.

Don Marcial wyprzedził swoje czasy, był inny. Nie sądzę, by jakaś matka mogła dać dziecku więcej czułości niż on. Widziałem, jak pieścił Laurę, kiedy była maleńka i potem, kiedy już nie była taka mała, brał jej twarz w dłonie i mówił: „Moja cudowna córeczka", „A któż to jest ta najpiękniejsza dziewczynka w świecie", „A gdzież to chodziła moja śliczna Laura"... Rozumie pani? Takie rzeczy i mnie mówiła moja mama: „Jesteś najmądrzejszym i najładniejszym chłopcem w całej Hiszpanii", „Jesteś moją radością", a na krótko przed śmiercią powiedziała: „Wszystko, co szczęśliwego przeżyłam w życiu, zawdzięczam tobie"...

Tak, moje stosunki z matką były wyjątkowe. Już pani mówiłem, że mój ojciec był strasznym prostakiem i ordynusem, nigdy nie mogłem się z nim porozumieć ani porozmawiać o niczym, co by mnie interesowało. I gdyby to od niego zależało, byłbym pastuchem albo stróżem lasu, tak jak on. Był bardzo ograniczony. Matka to zupełnie co innego. Miała wielką wrodzoną inteligencję i z natury była delikatna. Poza tym poprzez pracę nabyła dobrych manier, umiała ładnie mówić, nakryć do stołu i podać herbatę, i grzecznie odnosiła się do wszystkich.

Była pokojówką w domu Castedów. Bycie pokojówką w jakimś szanowanym domu uważano za bardzo dobrą pracę, bo dziewczęta nabierały ogłady i subtelniały. Niektórzy patrzyli na nie z niechęcią, mówili, że woda sodowa uderza im do głowy, przecież są tylko służącymi. W pewnym sensie ta praca nie wychodziła im na dobre, bo przyzwyczajały się do życia w pańskich domach przez długi czas, od czternastego roku, kiedy zaczynały, do dwudziestu paru lat albo i dłużej, kiedy wychodziły za mąż, i potem bardzo trudno było im przywyknąć do ciężkiego, pozbawionego wszelkiej subtelności życia małżeńskiego. Czasem niektóre dobrze wychodziły za mąż, za kogoś, kto miał jakieś zajęcie w mieście albo jakiś interes, albo za kogoś, kto pracował dla tego samego domu, szofera czy administratora majątku. Ale większość kończyła tak jak moja matka, wychodziły za typów przyzwyczajonych do prostackiego życia, nieuków i brutali. Nigdy nie rozumiałem, jak moja matka mogła wyjść za ojca. Przypuszczam, że była w ciąży i dlatego wyszła za mąż, ale też nie rozumiem, jak mogło dojść do tego, że zaszła w ciążę, chyba że on ją zgwałcił...

Nigdy nie przyszło mi do głowy, żeby matkę o to zapytać. Niektóre dziewczyny zachodziły w ciążę z panem domu albo z synem, i wtedy zazwyczaj szukano im męża. To zdarzało się dość często. Monterrosowie mają dzieci w całej okolicy, i one przeważnie dziedziczą po nich zielone oczy, tak że bardzo łatwo je rozpoznać; matka służąca, a dziecko z zielonymi oczami: bękart Monterrosów bez żadnej wątpliwości. Rodzina Castedo była inna. Już pani mówiłem, że ojciec był sędzią, człowiekiem bardzo prawym, zasadniczym; miał opinię sprawiedliwego i nieprzekupnego, sądził wedle sumienia jednakowo bogatych i biednych. Jego starszy syn opuścił dom, kiedy miał siedemnaście lat, i jak już mówiłem, zginął na wojnie. A o Ramonie de Castedo mówiono, że był oficjalnym pretendentem do ręki doñi Inmaculady, matki Laury, i że potem nigdy już nie widziano go z narzeczoną.

Byłem z matką w bardzo dobrych stosunkach i rozmawialiśmy o wielu rzeczach, ale nigdy o czymkolwiek, co miałoby związek z seksem. Chyba można powiedzieć, że była wielką purytanką albo też miała jakieś traumatyczne przeżycie. Mnie nigdy nie wpadłoby na myśl mówić z nią o tym, ale Maíta pewnego dnia zapytała ją w żartach, choć przypuszczam, że z zamiarem dowiedzenia się, bo ona zawsze chce dotrzeć do sedna; tak czy owak zapytała: „Babciu, czy ciebie łączyło coś z Ramonem de Castedo?".

Matka strasznie się zdenerwowała, chyba nigdy nie widziałem jej tak bardzo spiętej i tak oburzonej. Powiedziała, że ją obraziła, że co ona sobie myśli, że kim jest, by sobie pozwalać na takie słowa w stosunku do własnej babki, i kazała jej się wynosić. Wtedy od niedawna mieszkaliśmy we dworze i spacerowały obie po ogrodzie, po tym właśnie. Moja matka już jeździła na wózku inwalidzkim i sama poruszała się z wielkim trudem, ale nie chciała, żeby wnuczka dalej ją pchała. Dlatego się dowiedziałem. Maíta przepraszała ją, a potem przybiegła do mnie, żebym poszedł po babcię, i wyjaśniła mi, o co poszło. Była zgnębiona. Nigdy nie widziałem, żeby kiedykolwiek było jej aż tak przykro przez to, że coś powiedziała albo zrobiła; moja córka jest z tych, co to będą się bronić i na krok nie ustąpią, jeśli uważają, że mają rację. Ale wtedy widać było, że naprawdę bardzo żałuje, że tak uraziła babcię. Nie robiłem jej wymówek, raczej ją pocieszałem, powiedziałem tylko, by brała pod uwagę, że babcia jest z epoki, kiedy kobiety nie rozmawiały o takich sprawach, i że otrzymała zupełnie inne wychowanie niż ona. Ale Maíta odrzekła: „Ja myślę, że to nie tylko to, że musi być coś więcej. Za bardzo się wzburzyła. Jest dotknięta. To tak, jakby ktoś mi powiedział, że ty jesteś złodziejem, że okradłeś don Marciala, albo coś podobnego, czego nie mogłabym znieść nawet żartem".

Maíta była tak zdenerwowana, że nieświadomie obraziła również i mnie. To w końcu oznaczało, że kupno dworu mogło być przez kogoś zinterpretowane jako kradzież. Przeszedłem nad tym do porządku, bo zdałem sobie sprawę, że nie miała zamiaru zrobić mi przykrości, ale dużo o tym myślałem i doszedłem do wniosku, że tak samo jak ja dostaję białej gorączki, jeśli podejrzewam, że ktoś oskarża mnie, że przywłaszczyłem sobie dwór i ziemie Laury, tak i moja matka w jakimś momencie musiała być obiektem plotek w związku z Ramonem de Castedo i dlatego zareagowała w taki sposób.

Poszedłem po nią do ogrodu; nie chciałem angażować w to innych członków rodziny, bo a nuż miałaby ochotę wyżalić się przede mną. Była bardzo spięta, powiedziałbym, że nastawiona na obronę, ale ja nie wspomniałem nic o całej sprawie i ona też nie. Zacząłem jej mówić, co by można posadzić w przyszłym roku w niektórych zakątkach, i natychmiast się uspokoiła i pospacerowaliśmy po ogrodzie, planując, jakby najlepiej wykorzystać tę ziemię. Była to okazja, żeby coś powiedzieć, jeśli w ogóle było coś do powiedzenia, ale matka nie miała na to żadnej ochoty, nie poskarżyła się na Maítę ani nie zrobiła najmniejszej wzmianki na temat tego, co zaszło. To oczywiste, że nie chciała o tym mówić, i ja uszanowałem jej wolę...

Jej stosunki z Laurą były poprawne. Sądzę, że matka bała się, że będę cierpiał z powodu Laury, i choć nie mówiła tego wyraźnie, często przekazywała mi, co inni opowiadali na temat poczynań Laury w Madrycie: że ma narzeczonego, że chce zostać w stolicy na stałe, że wychodzi za mąż. Wydawano ją za mąż ze dwadzieścia razy, zanim naprawdę się wydała, i matka nie przepuściła żadnej okazji, żeby mnie o tym poinformować. Wszystko po to, żebym nie robił sobie nadziei, jestem pewien. Ale poza tym Laura jej się podobała, jak wszystkim. Młoda dziewczyna, która przychodzi do niej z wizytą i zostaje na dłuższą pogawędkę, taka ułożona, prawdziwa panienka, i tak dobrze o mnie mówi, to się matce podobało. Czasami nawet wyrwał jej się jakiś komplement. Pamiętam, że któregoś dnia powiedziała: „Widać u niej klasę". Ale ogólnie rzecz biorąc, nigdy nie mówiła mi o Laurze ani dobrze, ani źle. To był jej sposób, żeby trzymać ją ode mnie z daleka...

Co Laura czuła do mojej matki, tego nie wiem. Raczej sympatię pomieszaną ze współczuciem, kiedy widziała, co musi znosić, będąc żoną takiego typa, jakim był mój ojciec. A poza tym gdy Laura dowiedziała się, że matka jest gotowa iść do przytułku, żebym ja mógł dalej się uczyć, ustanowiła z nią razem wspólny front. Jednak kiedy po śmierci ojca zacząłem pracować, matka zmieniła zdanie. Nie mogła przyznać, że nie jestem najlepszy na świecie, i zamiast myśleć, że mógłbym zostać architektem, zaczęła wychwalać mnie pod niebiosy. Laura przeciwnie, tak samo jak Maíta, zawsze zajmowała stanowisko, że to wielka szkoda, że nie studiowałem architektury. To matce się nie podobało.

Laura ze swej strony uważała, że moja matka z wiekiem stała się egoistką i chciała jedynie mieć mnie przy sobie. Nigdy więcej nie rozmawiała z nią na ten temat, i w pewnym sensie straciła do niej dawną sympatię. Matka była inteligentną kobietą i wiedziała, co Laura myśli, ale interpretowała to w ten sposób, że Laura mnie nie ceni, że dla niej, takiej wielkiej pani, liczą się tylko studia wyższe, a wszystko inne uważa za godne pogardy. Wytworzyła się szczególnego rodzaju rywalizacja: gdybym wyjechał stąd i zaczął pracować poza domem, znaczyłoby to, że Laura ma nade mną większą władzę. Pozostanie tutaj oznaczało triumf mojej matki.

Wszystko to miało związek ze stosunkiem Laury do jej własnego ojca. Ona stąd wyjechała i musiała usprawiedliwić swoje stanowisko: ja musiałem być stroną przegraną, żeby jej wyjazd miał sens. Jeżeli pozostając tutaj, mogłem mieć godną pracę i znajdować w tym przyjemność, jeżeli mogłem realizować się jako niezależna jednostka, wtedy jej argumenty upadały, rozumie pani? Laura potrzebowała przekonania, że jestem przegrany. A moja matka za żadne skarby nie mogła tego uznać...

Nie, nigdy nie uważałem się za przegranego. Byłbym głupi, gdybym tak uważał. A moje stosunki z matką wydają mi się lepsze niż Laury z ojcem. Ja spełniłem obowiązki wobec rodziców, a Laura nie, i nie ma o czym dyskutować...

Związek Laury z ojcem zdołałem zrozumieć lepiej, kiedy zacząłem stosować do niego miarę własnego doświadczenia. Proszę spojrzeć, dla matki byłem kimś najważniejszym, osobą, którą najbardziej kochała i ceniła; wszystko, co mnie dotyczyło, było dla niej ważne. Każde moje przeżycie wydawało jej się niezwykle istotne w jej własnym życiu. A to bardzo wiąże. Z jednej strony człowiek czuje się trochę nieswojo, bo nie prosił się, żeby ktoś go tak kochał, żeby uczynił z niego sens swojego życia. I czasem nawet się buntuje, bo uważa, że to go ogranicza, że nie można ciągle dostosowywać się do kogoś, ciągle myśleć, czy to, co się zrobi, będzie przyczyną czyichś cierpień, czy komuś się to spodoba, czy nie. Ale z drugiej strony, jeśli ci tego zbraknie, czujesz, że jesteś sam, że innych w gruncie rzeczy nie obchodzi to, co się z tobą dzieje. Albo ich obchodzi, ale mniej. Już nie jesteś dla nikogo najważniejszą osobą w życiu. Przestałeś pełnić taką rolę i czujesz pustkę. Żona i dzieci to już nie to samo. Gdybym umarł, Isabel jeszcze bardziej poświęciłaby się dzieciom i byłaby z nimi szczęśliwa. Ja czułem, że dla Isabel, mimo całej jej miłości do mnie, dzieci są ważniejsze. Jestem pewien, że gdyby na jednej szali położono życie dziecka, a na drugim moje, ona wybrałaby dziecko. I myślę, że tak powinno być. Właśnie tak kocha matka. A ja wiedziałem, że na szali miłości mojej matki, ja ważyłem najwięcej. To, co cię łączy, wiąże z taką osobą, to poczucie, że możesz uczynić ją szczęśliwą, absolutnie szczęśliwą; że od ciebie zależy jej dobre samopoczucie, radość, szczęście. Czujesz się odpowiedzialny; czasem cię to męczy, ale w ostatecznym rozrachunku to ci odpowiada. Pamiętam spojrzenie matki, kiedy podchodziłem do niej nieoczekiwanie, albo kiedy opowiadałem jej o jakimś udanym projekcie, czy też komentowałem jakiekolwiek przyjemne zdarzenie w moim życiu: jak wtedy błyszczały jej oczy, jak jej twarz promieniała uśmiechem. A niedługo przed śmiercią powiedziała mi: „Tobie zawdzięczam całe szczęście mojego życia". To jedno zrekompensowało mi wszystko, co dla niej poświęciłem.

Laura tego nie przeżyła, nie odczuła. Jestem pewien, że dla don Marciala córka była najważniejszą sprawą w życiu. Ale ona tego nie czuła. Kiedyś powiedziała mi: „Jestem najważniejsza na tym świecie, ale on w dalszym ciągu tęskni za swoją żoną". Powiedziała „swoją żoną" a nie „moją matką". Myślę, że w takich momentach była zazdrosna o donę Inmaculadę, o miłość don Marciala do żony, o tę miłość, która przepełniała jego oczy smutkiem. Bo don Marcial miał smutne oczy, to prawda. I były takie od dnia śmierci żony. Laura pokazała mi zdjęcia ze ślubu. Doña Inmaculada była piękna, może nie tak, jak na portrecie Ramona de Castedo, ale niezaprzeczalnie piękna. A don Marcial, don Marcial promieniał. Nie był ładny, był bardzo młody i szczupły, twarz miał niemal dziecięcą, ale był rozpromieniony, emanował radością i szczęściem. Laura powiedziała jakby do siebie: „Nigdy potem tak się nie uśmiechał".

Myślę, że jej stosunki z ojcem mąciła świadomość, że nie jest w stanie usunąć smutku z jego oczu. A ponadto zawsze winiła siebie za śmierć matki. Nic nie pomagały tłumaczenia. Nikt nie był w stanie odwieść jej od tej myśli, że matka umarła w gorączce popołogowej, i gdyby jej nie urodziła, toby nie umarła.

Być może to wpłynęło na jej decyzję o wyjeździe, bo wiedziała, że ojciec i tak ciągle tęskniłby tylko za jej matką. Próbowałem z nią na ten temat rozmawiać. Ostatni raz, kiedy przyjechała tu posadzić magnolię, już po śmierci ojca. Powiedziałem jej, że my, mężczyźni, różnimy się od kobiet, że kobieta może być szczęśliwa, poświęcając się dziecku, żyjąc życiem syna czy córki. Ale mężczyźnie zawsze będzie brakowło ukochanej kobiety. Dzieci mogą dać dużo satysfakcji, ale nie wypełnią pustki po stracie żony. Mówiłem o sobie, o moim doświadczeniu. Wtedy Isabel już od trzech lat nie żyła, a mnie, mimo że były dzieci, ciągle jej brakowało.

Nie wiem, czy Laura pani mówiła, że po jej ślubie don Marcial przeniósł portret żony do gabinetu, a kiedy zachorował, powiesił go w sypialni. Przedtem portret wisiał w salonie, pewnie dlatego, żeby Laura miała w pamięci obraz matki. Ja, tak jak Laura, uważam, że to był gest pełen znaczenia. Wydaje się, że don Marcial, kiedy zabrakło mu córki, uciekł do wspomnień związanych z żoną.

Laura opowiedziała mi o ostatnich chwilach życia don Marciala. Był maj i jak zawsze w tych wiosennych miesiącach, w całym ogrodzie pachniało, jak w raju. Laura otworzyła okno sypialni, żeby ojciec mógł popatrzeć na drzewa, odetchnąć świeżym powietrzem i poczuć zapach kwiatów. Powiedziała: „Zobacz, jaka cudowna wiosna, tato". Ojciec powtórzył: „Cudowna". A potem zamknął oczy i już ich nie otworzył.

Laura mówi, że umarł z uśmiechem na ustach, że wydawał się szczęśliwy i że nie spojrzał ani na ogród, ani na nią. Że kiedy umierał, patrzył na portret swojej żony.

Laura

Aż do samego końca, prochu zakochany. Powiedziałeś swojemu przyjacielowi od zawsze, że chciałbyś leżeć obok niej i twoje oczy zrobiły się wesołe, tato.

Pomyślałam, że poczułeś się lepiej i otworzyłam okno, byś nacieszył się promieniami słońca i zapachem świeżo rozwiniętych róż. „Popatrz, jaki piękny dzień", powiedziałam jak idiotka, a ty się uśmiechnąłeś i przytaknąłeś: „Naprawdę cudowny".

A ja dopiero później zdałam sobie sprawę, że to chodziło o nią. Nie żal ci było umierać i zostawiać mnie tutaj samą. Nie wierzyłeś w przyszłe życie, nie miałeś nadziei spotkać się kiedyś ze mną znowu; było to pożegnanie na zawsze.

I w tym krytycznym momencie to, co wiązało cię z nią, okazało się silniejsze niż to, co łączyło cię ze mną. Odszedłeś zadowolony, tato, wreszcie miałeś spotkać się z żoną, bo tam, w niszy cmentarnej, czekała na ciebie ona: trochę kości i garstka prochu...

IX

Nie lubię mówić o tym człowieku, spodziewam się, że pani mnie rozumie. Wszystko, co powiem, może wyglądać na urazę. W oczach ludzi jestem tym wzgardzonym, to mnie porzuciła, żeby odejść do innego w Madrycie. Jak pani mówiłem, nie odbieram tego w ten sposób, ludzie tak myślą, jestem pewien, choć też jestem pewien, że są przekonani, że Laura setki razy żałowała swego kroku, ale to już inna sprawa. Nie chciałbym, żeby pani złożyła to na karb wiejskich plotek albo na domysły kogoś, kto czuje się przegrany, jak powiedziałaby Maíta...

Już pani wspomniałem, że moja córka z jednej strony uważa, że jestem geniuszem, a z drugiej, że jestem przegrany; to znaczy, że jestem geniuszem, który się nie spełnił, bo nie pozwoliły mi na to okoliczności i własny charakter. Maíta jest przekonana, że pozwoliłem odejść Laurze, że o nią nie walczyłem, tak samo jak nie walczyłem o karierę architekta, o prawo do wyjazdu stąd i budowania własnego życia...

Nie odchodzę od tematu, po prostu wszystko się ze sobą wiąże i jedna sprawa pociąga za sobą następną. Gdybym nie chciał o tym mówić, to bym pani powiedział: nie chcę poruszać tego tematu i kropka. Chcę tylko, żeby pani zrozumiała, że jestem w sytuacji niezręcznej, bo

83

pewnie powiem o nim coś przykrego, a on już nie żyje, i pani nie będzie mogła pójść do niego i zapytać, czy mam rację, czy nie.

Do Laury też już pani nie pójdzie, ale z nią pani rozmawiała przede mną. Dlatego przyjechała pani tutaj, żeby poznać inny punkt widzenia. A w przypadku Fernanda nie jest to możliwe...

Nie mam nic przeciwko temu, żeby wyjaśnić, o co mi chodzi. Przede wszystkim muszę przyznać, że to, co powiedział don Benjamín o obsesji na punkcie piękna, to prawda. Laura namiętnie kochała piękne rzeczy. Już choćby ten przykład z magnolią: wybrała piękną, nie biorąc pod uwagę problemów, jakie stwarza ten gatunek. Można by powiedzieć, że tak samo wybrała męża.

Laura powiedziała pani, że całymi godzinami patrzyła, jak on ćwiczył na pianinie. Więc ja mogę pani powiedzieć, że to samo było w przypadku świętego Jana z obrazu Botticellego, który odkryła w wieku trzynastu lat, i wielu innych rzeczy... Laura mogła godzinami patrzeć na ptasie gniazdo, zafascynowana kolorem jajeczek, albo na puszek, którym było wyłożone. Albo na kwiat. Kładła się na łące na brzuchu i wsadzała nos do kielicha takich kwiatów, które rosną wysoko w górach. Wie pani, o czym mówię? One nie mają łodyżki, to taki rodzaj malutkich lilijek, które wyrastają bezpośrednio z ziemi i przypominają kwiaty szafranu. Są trujące, mają truciznę na słupkach i nie wolno ich dotykać, zwłaszcza dzieciom, ale mają piękny kolor jasnej malwy. Laura mogła tak spędzać całe godziny. To samo było z gniazdkami. Odciągałem ją od nich, bo bałem się, że w końcu wsadzi palec do środka. Kiedy dotyka się gniazda, ptaki to wyczują. Jedno dotknięcie wystarczy, żeby się zorientowały, wtedy porzucają gniazdo i przestają wysiadywać pisklęta. Laura świetnie o tym wiedziała, ale pokusa była silniejsza od woli i miłości do zwierząt i kiedyś jej uległa... Chociaż prawdę mówiąc, to nie było tak, że uległa pokusie; po prostu stwierdziła, że chce to zrobić.

Nie była taka mała, miała chyba z piętnaście lat, i powiedziała mi, że „całe życie" chciała to zrobić i że musi wiedzieć, jak delikatny jest ten puszek i co się czuje, kiedy się trzyma w ręku ptasie jajka. Powiedziała do mnie: „Ty ich dotykałeś. Już to kiedyś zrobiłeś i wiesz, co się czuje. Ja też chcę się dowiedzieć".

I tak po prostu wyjęła jajeczka bardzo ostrożnie, położyła je sobie na dłoni i zaczęła pieścić. Przytulała je sobie do ust, dotykała koniuszkiem języka, przekładała z jednej ręki do drugiej; przez dłuższą chwilę stukała w skorupkę. Potem położyła je na trawie i wsadziła palec do gniazdka, żeby poczuć miękkość puchu. Włożyła palec, zamknęła oczy, zrobiła rozanieloną minę i powiedziała: „To wspaniałe. Nigdy jeszcze nie dotykałam czegoś tak delikatnego". I namawiała mnie, żebym ja też dotknął, bo w końcu ptaki i tak już nie usiądą na jajkach i czy jeden palec, czy sto, to nie ma znaczenia, więc ja też mógłbym przeżyć to nieporównywalne z niczym doznanie...

Tak, rzeczywiście przypomina się scena z Biblii: Ewa podająca Adamowi jabłko. Z tą tylko różnicą, że dla mnie wtedy nie był to owoc zakazany. Wiedziałem już wcześniej, jak mięciutkie jest ptasie gniazdko wewnątrz i jakie to uczucie, kiedy jajeczka toczą się po dłoni. Ale nigdy nie przeżyłem tego tak jak Laura, może dlatego, że wtedy byłem młodszy i nie widziałem w tym akcie wolnej woli tylko słabość, gdyż ulegałem pokusie zrobienia czegoś, czego nie powinienem był robić. A może dlatego, że nie miałem wrażliwości Laury. Czułem przyjemność dotykania jajek, ale ta przyjemność była mniejsza niż poczucie winy. Zawsze tego żałowałem, a nawet za pierwszym razem próbowałem pomniejszyć swój występek, oszukując samego siebie, że ptaki opuściły gniazdo, jeszcze zanim ja je dotknąłem. Laura nigdy nie żałowała. Dla niej był to akt poznania, coś, co wzbogaciło jej zmysły. Wiele razy poźniej używała tego doświadczenia jako punktu odniesienia. Na przykład o futrze szynszyli mówiła, że jest niemal tak delikatne jak wnętrze ptasiego gniazdka, i to samo mówiła o ciałku noworodka...

Sam nie wiem, dlaczego go nie dotknąłem. Chyba poczułem się urażony, że Laura zrobiła to bez mego pozwolenia. Postanowiła zmarnować gniazdko, które ja jej pokazałem, i nawet nie zapytała mnie o zdanie. Przypuszczam też, że chciałem jej udowodnić, że jestem człowiekiem wiarygodnym i konsekwentnym i nie będę robił tego, o czym sam jej mówiłem, że robić nie wolno. A nawet możliwe, że chciałem wywołać u niej wyrzuty sumienia czy poczucie winy. Chyba też denerwowało mnie, że sprawiało jej tyle radości coś, czego ja nie mogłem zrobić, żeby od razu nie poczuć się winnym. Nie wiem. Minęło już zbyt wiele czasu, pamiętam tylko, że Laura zapytała mnie, czy jestem pewien, że ptaki porzucą te jajeczka, a kiedy oświadczyłem, że jestem tego absolutnie pewien, powiedziała: „W takim razie wezmę je do domu". I bez żadnych ceregieli zdjęła gniazdko z gałęzi i zabrała ze sobą.

Ojcu powiedziała prawdę i on musiał jej powtórzyć to, co wiele razy mówił nam w szkole, kiedy jakieś dziecko źle traktowało zwierzęta: że trzeba szanować życie i nie można poświęcać zwierząt dla zabawy czy dla zaspokojenia naszej ciekawości. W szkole byli chłopcy, którzy dla rozrywki wyrywali muchom skrzydełka, wkładali zapalonego papierosa w pyszczki nietoperzy albo związywali żabom tylne nogi; ot, tak, dla zabicia czasu. Postępek Laury był bardziej wyrafinowany, ale w gruncie rzeczy niewiele się różnił od tamtych. Chłopcy nie robili tego z okrucieństwa, tylko dla zabawy, a Laura zrobiła to, bo tak jej się podobało. I pomimo że szanowała ojca, w tej sprawie nie zmieniła zdania. Parę dni potem znowu mi powiedziała: „Musiałam wiedzieć, jak to jest. Zrobiłam to i koniec".

A ze spichlerzem?... No więc tak... Ja też o tym czasem myślałem. To, co zaszło w spichlerzu, w jakimś sensie przypomina historię z gniazdem... Ale teraz to pani zmienia temat. Ja mówiłem o fascynacji Laury pięknem i chciałem pani wytłumaczyć, że nie było nic nadzwyczajnego w tym, że godzinami przyglądała się mężowi, kiedy grał na pianinie. Mnie też się tak przyglądała i to nawet z bliższej odległości. Patrzyła na mnie tak jak na kwiaty, o których pani wcześniej opowiadałem, te trujące. Czasami kładliśmy się na trawie, żeby odpocząć w czasie wycieczki albo po prostu dla przyjemności. Laura bardzo lubiła leżeć na trawie. Ja kładłem się na plecach, ale ona wolała pozycję na brzuchu, tak jakby chciała objąć ziemię, i często zamiast położyć się obok, kładła się pod kątem prostym w stosunku do mnie. Mówiła, żebym otworzył oczy i przyglądała im się z bardzo bliska, tak jak tamtym kwiatom i z taką samą uwagą i upodobaniem...

W takich chwilach nie rozmawiała o niczym ważnym, jak wtedy, kiedy przyglądała się gniazdom albo kwiatom. Sprawiało jej przyjemność samo patrzenie i mówiła tylko o tym. Mnie mówiła, że moje oczy są tego dnia bardziej niebieskie albo bardziej szare, porównywała je do nieba, mówiła, że ich kolor zależy od tego, czy niebo jest bardziej, czy mniej zachmurzone, ot, takie tam rzeczy... I mówiła też, że poznałaby moje oczy na końcu świata...

Ja się wtedy denerwowałem. Zawsze, kiedy byliśmy dziećmi, i później, w młodości. Czułem się głupio i starałem się nie kłaść na plecach, ale czasem to nic nie dawało, bo ona przysuwała swoją twarz bliziutko do mojej i mówiła „No, pokaż, jakie dzisiaj masz oczy"...

Nie, nigdy nie przyszło mi do głowy, żeby ją pocałować. To znaczy, przychodziło i to często, ale nigdy tego nie zrobiłem. Nie sądzę, żeby ona mnie kokietowała. Powstrzymywało mnie właśnie to, że mnie nie prowokowała. Byłem naiwny, ale nie do tego stopnia. Kiedy inne dziewczyny mnie kokietowały, w lot to wyczuwałem, nawet w przypadku Isabel, która była nieśmiała i robiła to tak dyskretnie, że prawdopodobnie tylko ja jeden wiedziałem, że się jej podobam. Laura mnie nie uwodziła, jestem tego pewien. Sprawiała, że czułem się jak ptasie jajko albo dziki kwiat, a jednocześnie podniecała mnie, więc nie było to miłe uczucie. Umierałem ze wstydu na samą myśl, że zda sobie sprawę, do jakiego stopnia mnie podnieca. W takich momentach też przekręcałem się na brzuch i zaczynałem rozmowę na jakiś temat, który mógłby ją zainteresować. Wtedy przestawała przyglądać się moim oczom, a ja odzyskiwałem rezon...

W spichlerzu też mnie nie kokietowała. Po prostu mnie pocałowała. Zdejmowała mi z włosów jakieś liście czy trawę i nagle zarzuciła mi ramiona na szyję i mnie pocałowała. I wtedy wszystko runęło, jakby przerwała się jakaś tama... Ale nie o tym mówiliśmy... Pani powiedziała, że Laura godzinami patrzyła na swojego męża, a ja próbuję wyjaśnić, że tak samo patrzyła na kwiaty czy gniazda, inaczej mówiąc, może chodziło o to, o czym mówił don Benjamín: o fascynację pięknem, to znaczy, mogła go podziwiać jak piękny przedmiot...

To może być również oznaka miłości, oczywiście. Kiedy kogoś kochasz, możesz patrzeć na niego bez końca, ale to patrzenie nie jest podziwem dla piękna, jest czym innym.

Ja mogłem patrzeć na Laurę bez końca, choć trudno powiedzieć, żeby Laura była ładna...

Isabel była naprawdę ładna i często patrzyłem na nią z pożądaniem, bo takiej ponętnej kobiety pożądałby każdy mężczyzna. Ale dopiero potem, z upływem lat, zacząłem patrzeć na nią z miłością. Patrzyłem, jak trzyma w ramionach dziecko albo wnuka, i już sam jej widok sprawiał, że czułem się szczęśliwy. A kiedy umierała, taka wychudzona, taka mizerna, chciałem spędzać z nią każdą najkrótszą chwilę...

Mąż Laury nie był chory, był neurotykiem. To dziwny człowiek, nie chciał mieć dzieci, przez dwadzieścia lat żył z jakimś włoskim kochankiem, a po ślubie był uwikłany w dziesiątki historii z młodymi dziewczętami. Był bardzo słaby. Nie cierpiał na żadną chorobę, ale popadał w depresje i wtedy prawdopodobnie straszliwie cierpiał, i miał myśli samobójcze. Laura była jedyną osobą, która umiała go uspokoić. Dlatego powiedziałem pani, że czuła się przy nim niezastąpiona. Pomimo niezliczonych zdrad, zawsze do niej wracał; potrzebował jej. I to wypełniało życie Laury. Taka rola uszczęśliwiłaby jej ojca, a także i mnie: być kimś niezastąpionym dla drugiego człowieka, sprawiać, by czuł się szczęśliwy i bezpieczny. To wielka satysfakcja, wiem, bo tak było z moją matką. Laura oddała się tej roli, jak zakonnice oddają się Bogu albo fanatycy jakiejś idei. To poświęcenie wypełniło jej życie, ale nie przyniosło szczęścia. Między innymi dlatego, że w końcu okazało się, że ona mężowi nie wystarcza; miał przyjaciółkę, która prawdopodobnie była powtórzoną wersją Laury, ale o dwadzieścia pięć lat młodszą.

Tego właśnie nigdy nie potrafiłem zrozumieć. Laura mówiła, pani też to powiedziała, że ta dziewczyna była dla niej jak Szymon Cyrenajczyk, ktoś, kto jej pomagał, by

Fernando mógł żyć zadowolony. Przy takim rozumowaniu mogłaby mu też założyć harem.

Utrzymywała go od czasu, jak go wyrzucono z konserwatorium. To, co zarabiał z koncertów, nie starczało na życie; nie był dobrym pianistą, mimo że kobiety lubiły patrzeć, jak gra. Więc ona utrzymywała go i opłacała jego kaprysy z własnych zarobków i z tego, co dostała ze sprzedaży dworu...

A ja nie, ja nie wierzę, żeby to robiła z miłości czy nawet z fizycznej fascynacji. Całkiem wyraźnie powiedziała mi, że ze mną było o wiele lepiej. Przecież pani też to powiedziała, prawda?...

No więc jeżeli tak, to nie rozumiem, dlaczego pani się upiera, że Laura była zakochana w swoim mężu. Co to znaczy być zakochanym? Co się przez to rozumie? Laura nie była szczęśliwa, nawet nie była kobietą zaspokojoną...

Bo to się widzi. To trudno wytłumaczyć, ale to jakaś aura, rodzaj spokoju, wrażenie pełni, które emanuje z niektórych kobiet. Nie potrafię tego lepiej wytłumaczyć, ale każdy mężczyzna zauważy to w kobiecie. A Laura tego nie miała. A poza tym powiedziała mi...

Tak, powiedziała mi to dwa razy, pierwszy raz przed ślubem: że don Gumersindo, a nawet don Benjamín i Ramón de Castedo uważali, że to sprawa łóżka, ale że się mylili; że jeśli o to chodzi, ze mną było jej lepiej. I powtórzyła mi to wiele lat później, kiedy przyjechała posadzić magnolię...

Na Boga, nie jestem głupi. Ja wiem, że mogła pod tym względem woleć mnie, ale z mężem też mogło być jej dobrze. Mówiłem o czym innym, ale jeśli Laura pani o tym nie wspomniała, to ja też nie będę...

Ach tak!... I wie to pani od Laury, czy to pani własne domysły?...

No to widać, że oboje doszliśmy do tego samego wniosku, choć różnymi drogami: wina była po jego stronie.

Kiedy przyjechała posadzić magnolię, była zgaszona i źle się czuła, ale ja sądzę, że to była konsekwencja, a nie przyczyna. On był dziwny, to pewne. Już pani mówiłem o tym jego przyjacielu, Włochu... Tylko że... nie lubię o tym mówić, nie powinienem był zaczynać. To nie fair...

Nie, nie sądzę, że był... Raczej działał na dwa fronty. Miał dużo romansów z kobietami, z młodymi dziewczętami, tak że chyba nie tu leżał problem. A jeszcze muszę powiedzieć, że być może sama Laura pchała go w te romanse...

Jemu brak było pewności siebie, a Laura wytykała mu, że opuszcza nuty na koncertach. Musiał potrzebować poklasku młodych uczennic, które nie zauważały jego braków i bezkrytycznie go podziwiały. Laura mogła być pod tym względem bardzo surowa, była szalenie wymagająca, od każdego oczekiwała, że intelektualnie da z siebie wszystko. Tak samo jak Maíta. One to robią bardzo subtelnie, wydaje się, że cię chwalą, a w rzeczywistości wymagają od ciebie, żebyś się wspinał wyżej, był jeszcze lepszy, no bo jesteś tak wspaniały, że możesz zrobić dużo więcej. Rozumie pani? To każdego wykończy, a na dłuższą metę jest nie do zniesienia...

On nie rzucił Laury, bo jej potrzebował. Ona była silna, a on słaby. Mógł ją okłamywać, ale nie mógł odejść. I ta potrzeba rekompensowała Laurze jego braki. Czuła się niezastąpiona. I proszę nie zapominać, że Fernando był tylko częścią jej wyboru w szerszym tego słowa znaczeniu...

Laura nigdy nie chciała zmienić swojej decyzji, to fakt. Kiedy zostałem wdowcem, miała po temu okazję, ale już było za późno...

Nie, nie dla mnie. Za późno dla niej. Zrobiłem to, czego zaniechałem, kiedy wyjeżdżała za pierwszym razem.

Poprosiłem, żeby została, a ona odpowiedziała, że przyczyny, dla których kiedyś podjęła decyzję wyjazdu są w dalszym ciągu aktualne...

Właśnie to próbuję pani wyjaśnić: że nie zrobiła tego z miłości. Powtarzam, Laura od samego początku nie wybierała jednego z dwóch mężczyzn, ale jeden z dwóch światów. I Fernando w dalszym ciągu znajdował się w tamtym świecie, w którym ona postanowiła żyć, w jakimś sensie uosabiał go, tak jak ja uosabiam ten...

Wiem, że pani teraz myśli, ot, sam nie może, to i drugiemu odmawia racji, że się w ten sposób pocieszam, a może nawet pani sądzi, że ona tym stwierdzeniem chciała złagodzić mi ból po tym drugim wyjeździe. Ale ja znam dobrze Laurę i wiem, że ona tak czuła naprawdę...

Mogę to pani powtórzyć dokładnie, słowo po słowie. I choćbym żył tysiąc lat, przez tysiąc lat będę pamiętał każde z nich. Powiedziała tak: „Może nie jestem zakochana, tylko uparcie chcę w to wierzyć. Może boję się przyznać, że się pomyliłam, że to wszystko było jednym wielkim błędem. Ale jak można powiedzieć zakonnicy w klauzurze, że nie istnieje życie wieczne?".

X

Ta kobieta chce, żebym opowiadał jej o zmarłych, Lauro. Zapytała mnie, czy jestem wierzący, bo widziała jak zapalałem świece pod przydrożną figurką Chrystusa. Wytłumaczyłem jej, że ten Chrystus jest związany z dworem, i każdy, kto mieszka we dworze, przejmuje na siebie obowiązek opiekowania się świętą figurką, zapala świeczki, pieli chwasty i przystraja ją w dzień Bożego Ciała. Że robił to twój ojciec, kiedy tu mieszkał, albo ty, kiedy przyjeżdżałaś do domu, chociaż twój ojciec nigdy nie chodził do kościoła, a ty od czasu do czasu. Ona mi powiedziała, że ty wierzyłaś w życie wieczne, w jakąś formę istnienia po śmierci, i że jej mówiłaś, że ja też w to wierzę...

Ze wszystkiego się jej zwierzałaś, Lauro, i stawiasz mnie w kłopotliwej sytuacji, bo jak już ty jej powiedziałaś to czy tamto, to teraz ona ciągnie mnie za język i zmusza do opowiadania rzeczy, o których nie miałem zamiaru rozmawiać z nikim poza tobą. Wiara w życie wieczne to sprawa bardzo osobista. Poza tym, łatwo tu może dojść do nieporozumień, bo, jak mówił don Gumersindo, należy odróżnić agnostyka, takiego jak Ramón de Castedo, od zdecydowanego ateisty, jakim był ojciec don Benjamina, lub od takich, co wierzą „na wszelki wypadek", bo a nuż to, co mówi ksiądz, okaże się prawdą, i chodzą na msze i procesje, żeby ich widziano, od tych, którzy nie chcą sprawić przykrości rodzinie, bo tacy też są. I właśnie ja taki jestem, i to trudno wytłumaczyć komuś, kto mnie nie zna, że chodziłem do kościoła, aby żonie nie było przykro. Isabel mówiła: „No, chodź ze mną, co ci zależy, to tylko pół godzinki, a dobrze będzie, jak dzieci cię zobaczą...". O, takie tam rzeczy. I ja stwierdziłem, że rzeczywiście, dzieciom religia, jako hamulec, wyjdzie na dobre, jeszcze będą miały czas, jak dorosną, żeby na własny rachunek zadecydować, jak do tego podejdą, a jeżeli ja nigdy nie będę chodził do kościoła, przyczynię się do tego, że przestaną wierzyć w cokolwiek.

Twój ojciec nie chodził, ale ciebie ochrzcił, a kiedy przy-stępowałaś do Pierwszej Komunii, wszedł razem z tobą i stał obok, chociaż komunii nie przyjął. I chciał, żeby go pochowano na cmentarzu przykościelnym, obok twojej matki. To normalne. No więc ja zrobiłem to samo, a nawet trochę więcej, bo Isabel mnie o to prosiła. Myślę, że gdyby doña Inmaculada żyła, twój ojciec też chodziłby na mszę, żeby jej sprawić przyjemność, tak jak Ramón de Castedo chodził na pogrzeby z siostrami, a w domu don Benjami-na, za życia jego matki, zawsze na Boże Narodzenie urzą-dzano żłóbek. A przecież jego ojciec był zagorzałym atei-stą, który nigdy nie zgodził się przestąpić progu kościoła. U nich to matka w końcu się złamała, pamiętasz? Popro-siła, żeby ją pochowano na cmentarzu cywilnym, bo chciała, kiedy wybije jej godzina, leżeć obok syna i męża. I powiedziała do don Gumersinda: „Bóg to zrozumie".

Bo co innego religia, a co innego zmarli i to, co nas czeka po śmierci. I trzeba odróżnić to, co myślisz, od tego, co czujesz. I to, co mówisz, od tego, co robisz. Powiedziałem tej pisarce, że jestem agnostykiem, bo opinia Casteda, któ-rą usłyszałem wiele lat temu, wydała mi się najbardziej trafna: nie można sprawdzić, więc nie ma co się wypowiadać, może być tak, a może być inaczej; nikt nie wrócił, żeby nam to powiedzieć, więc nie ma sensu potwierdzać czy zaprzeczać. Ale jakby mnie ktoś przycisnął, to raczej skłaniam się do myśli, że tu wszystko się kończy, że po śmierci może istnieć jakaś forma życia, ale nie życia świadomego; to, że staniemy się częścią energii kosmosu, w porządku, tylko że ja się o tym nie dowiem i głównie to jest dla mnie ważne. Z tego powodu nie wpadam w chorobę, jak twój mąż, nie trzęsę się ze strachu i nie muszę spać przy zapalonym świetle... ale nie lubię o tym myśleć. Zwłaszcza nie lubię myśleć, że nigdy nie zobaczę tych, których kocham, i tych, których wciąż kocham, chociaż już ich nie ma. Dlatego staram się korzystać z życia, póki trwa, i zły jestem na siebie, i żałuję, że lepiej nie wykorzystałem tego, co teraz, za przyczyną śmierci, już nie jest możliwe, i nie chcę znowu kiedyś żałować. Staram się częściej przebywać z dziećmi, a z Maítą zawsze, kiedy tylko ona może, bo mnie zostało niewiele czasu i za każdym razem boję się, że jej więcej nie zobaczę. Tak myślę, ale okazuje się, że przynajmniej raz w tygodniu idę na cmentarz, żeby zanieść kwiaty Isabel i twojemu ojcu i chwilę z nimi pogadać. A z tobą... co ci będę mówił! Co innego się myśli, a co innego serce ci podpowiada.

Niełatwo mi to wszystko wytłumaczyć. A poza tym nie mogę o tym opowiadać tej pisarce, bo musiałbym jej zdradzić, że tu jesteś, a nie chcę, żeby ktoś o tym wiedział. Twojemu synowi i Maície kazałem obiecać, że nigdy nikomu o tym nie wspomną. Nie mam ochoty, żeby to drzewo i mur przekształciły się w mauzoleum, tylko tego by brakowało. Jakbyś była samą Nefretete. Już dosyć tych kaprysów. I koniec, bo nie o tym mówiłem. Czasem przez ciebie czuję się jak stary ramol, który co i rusz traci wątek.

Mówiłem, że to absurd być przekonanym, że ze śmiercią wszystko się kończy, a chodzić na cmentarz, żeby odwiedzać zmarłych albo zanosić im kwiaty. Nie robię tego po to, żeby mówiono: „O, jaki dobry mąż, minęło tyle lat, a on ciągle chodzi na cmentarz", albo: „To jest wdzięczność, nosi kwiaty swojemu nauczycielowi"... zresztą nie myśl, że tylko ja to robię. Kiedy kładę moją wiązankę, zawsze tam znajduję świeże kwiaty. Ludzie wciąż o nim pamiętają i dziękują za to, co dla nich zrobił. Któregoś dnia spotkałem tam córkę Carabuia, która przyszła z bukietem margarytek i powiedziała do mnie: „Póki ja żyję, nie zabraknie mu kwiatów, bo on też codziennie pisał do mojego ojca do więzienia i dzięki tym listom ojciec wytrzymał i wyszedł stamtąd żywy".

Twój ojciec robił takie rzeczy. Dzięki niemu Carabuio codziennie dostawał list. Nauczył pisać jego żonę i córkę i opłacał im znaczki, a z naczelnikiem więzienia załatwił, żeby codziennie dostarczano korespondencję. Miał rekomendacje od Ramona de Castedo i od don Gumersinda, ale w tamtych czasach zainteresowanie komunistą skazanym na śmierć było dla republikańskiego nauczyciela niebezpieczne, bez względu na wszelkie rekomendacje i nawet na pozycję, jaką dawał mu tytuł właściciela. Niewiele osób zdobyłoby się na takie ryzyko. Zwłaszcza dla takiego fanatyka, jak Carabuio.

Swojej córki nawet nie ochrzcił. W urzędzie stanu dał jej na imię Libertad i tak ją stale nazywał. Ona poszła w ślady ojca i jeżeli jakiś kościół się zawali, to jej na pewno w środku nie będzie, ale, widzisz, przynosi kwiaty staremu nauczycielowi. I to samo ja. I tylu innych. To o czymś świadczy: gdzieś na dnie jest nadzieja, że nie chcemy zniknąć bez śladu i człowiek broni się przed myślą, że nigdy nie zobaczy matki, dzieci, ukochanej żony...

Więc trzeba odróżnić to, co myślisz, od tego, co czujesz, i to, co mówisz, od tego, co robisz. Powiedziałem pisarce, że jestem agnostykiem i nie jestem praktykujący, ale chodziłem do kościoła, żeby sprawić przyjemność żonie i nie dawać złego przykładu dzieciom, żeby od maleńkości nie narzucać im zachowań przez większość społeczeństwa, w którym żyją, uważanych za negatywne. A ona mnie zapytała, czy wizyty na cmentarzu też miały na celu dawanie im dobrego przykładu...

Czasem jest trochę impertynencka albo niedyskretna, ale przypuszczam, że nie ma złych intencji. Z nią jest tak, że chce zrozumieć sprawy, które nie są do zrozumienia, i dlatego tyle pyta.

Powiedziałem jej, że robiłem to przez pamięć, bo nasi zmarli żyją, dopóki ich wspominamy, dopóki włączamy ich w swoje życie. Umierają tak naprawdę dopiero wtedy, kiedy nikt ich nie pamięta. Formą ich życia, a raczej przeżycia jest pamięć. Pamięć jest bardzo ważna. Wiele rzeczy w życiu robi się po to, żeby zostawić dobre wspomnienia. Nikt nie lubi myśleć, że zostanie zapomniany, kiedy tylko zamknie oczy; chcemy pozostać w pamięci. I my, tutaj, dopóki pamiętamy o zmarłych, utrzymujemy z nimi żywy kontakt. Pamiętam, co twój ojciec mówił mi na temat wielu spraw, i teraz jest tak, jakbym go miał pod ręką, żeby mi doradzał. A to, co Isabel mówiła na temat dzieci, wiele razy pomogło mi uniknąć sprawienia im przykrości. I pamiętam, co ty mówiłaś...

Powiedziałem tej pisarce coś, z czego nie wiem, czy będziesz zadowolona. Powiedziałem jej o tych wierszach, które znał twój ojciec, a których ty nie lubiłaś. Nie wiem, dlaczego ci się nie podobały. Że są górnolotne, chyba jakoś tak o nich mówiłaś... Myślę, że to przez zazdrość, Lauro. Wiersze są piękne, ale ciebie denerwowało, że ojciec ciągle wracał pamięcią do matki.

Byłaś zazdrosna i to zrozumiałe, przecież ty jej nie znałaś i odczuwałaś to tak, jakby inna kobieta odbierała ci miłość ojca. Ale te wiersze odkrywają wielką prawdę. Któregoś dnia rozmawiałem o nich z Maítą i ona zapytała tego swojego przyjaciela, z którym żyje, profesora literatury, kto je napisał. A on powiedział, że najsławniejszy hiszpański poeta z dziewiętnastego wieku. Pisarka też je znała i zdziwiła się, kiedy je wyrecytowałem. Powiedziałem, że znam je na pamięć od dzieciństwa, i opowiedziałem jej o twoim ojcu... Co prawda nie znałem ich na pamięć od dzieciństwa. Pamiętałem tylko niektóre słowa: że ona jest białym świetlikiem i że dopóki on żyje, będzie jego światłem, i Maíta to zanotowała. I wystarczyło, profesor od razu wiedział, o co chodzi i przysłali mi tomik z tymi ulubionymi wierszami twojego ojca. I tyle razy go czytałem, że teraz naprawdę znam je na pamięć.

> *O! Jak długo żyć będę, mój biały świetliku,*
> *Z twego światła promień we mnie pozostanie,*
> *Bo tym światłem rozjaśniłaś, me kochanie,*
> *Życia mego złocisty poranek.*

W tych wierszach jest prawda, Lauro, wielka prawda, chociaż przyznanie tego sprawia ci ból. Niektórych osób nie zapomnisz nigdy, bo łączą się z najszczęśliwszymi momentami, z tym, co było najlepsze w twoim życiu. Twoja matka napełniła światłem młodość twojego ojca i żyła w nim aż do końca, aż do tego uśmiechu, który ty widziałaś na jego ustach w chwili śmierci.

I dlatego że to prawda, zdarzają się takie rzeczy, których nie da się ani wyjaśnić, ani zrozumieć. Głowa mówi mi, że wszystko się kończy wraz ze śmiercią. Ale potem, kierowany sercem, przychodzę tutaj, do ciebie, żeby porozmawiać, żeby posiedzieć przy tobie, tak jak tyle razy siadywałem kiedyś, bo zawsze lubiłem być u twego boku, Lauro...

Laura

Tamtego popołudnia trzy razy doszło do spełnienia i za każdym razem było lepiej. To tak jak w przypadku dojmującego głodu pierwsze kęsy pożerasz w pośpiechu, prawie nie czując smaku, chociaż, owszem, czujesz przyjemność zaspokajania naglącej potrzeby, niemal bolesnej przez swoją intensywność. A potem nadchodzi spokojniejsze delektowanie się, bardziej świadome własnej przyjemności, odkrywanie rozmaitych odcieni, powolne rozsmakowywanie się w ulubionych specjałach.

Części garderoby leżały porozrzucane pomiędzy jabłkami, morelami i kolbami kukurydzy, byliśmy zupełnie nadzy, kompletnie wyczerpani i zmęczeni; w pełni zaspokojeni.

Ale to w niczym nie zmieniło moich planów, i Paco o tym wiedział.

Zachodziło już słońce, leżeliśmy prawie w ciemnościach. Powiedział: „Jutro wyjeżdżasz".

Nie zabrzmiało to jak pytanie, tylko jak potwierdzenie czegoś, co było wiadome. Powiedziałam, że tak, z żalem i wstydem, jak ktoś, kto dostaje cudowny prezent i nie ma czym się zrewanżować.

XI

O moim ojcu też nie lubię mówić...

Ma pani rację; jest zbyt wiele spraw, o których nie lubię mówić. Ale mojemu ojcu wiele razy życzyłem śmierci, więc rozumie pani, że nie jest mi przyjemnie o tym rozmawiać. Nikt nie lubi wspominać swoich złych uczynków... Nie, nie bił mnie, i w tym jest szkopuł, matki też nie. Gdyby bił, łatwiej byłoby szukać usprawiedliwienia. Życzyłem mu śmierci, bo zatruwał życie mnie i matce. Nie maltretował nas fizycznie, ale życie z nim było męczarnią. Przy nim nie można było poczuć się szczęśliwym, cieszyć się choćby tym, co mieliśmy. Miał wstrętny charakter. We wszystkim, w rzeczach, w ludziach, widział tylko najgorsze strony. Dla niego wszyscy byli złodziejami, faktycznymi lub potencjalnymi. Nie miał zaufania do nikogo. Nie był w stanie sprawić komuś przyjemności ani też od nikogo jej przyjąć; we wszystkim dopatrywał się ukrytych zamiarów. Nie pamiętam żadnego gestu czułości, żadnej pieszczoty w stosunku do mnie czy do matki. Ale czasem myślę, że nie była to wyłącznie jego wina...

Myślę, że my, matka i ja, po części byliśmy odpowiedzialni za jego zły charakter. Musiał czuć, że go nie kochamy; nikt go nie kochał. Był strażnikiem leśnym i kłusownicy go nienawidzili, bo stale na nich donosił. Nie obchodziło go, że z powodu jego donosu jakiegoś ojca rodziny wsadzano do więzienia. Inni strażnicy w innych miejscowościach przymykali na to oko, ale on nie. Nie miał uczuć. I nie miał przyjaciół. Wchodził do gospody na kieliszek i nie miał do kogo się odezwać. Niektórzy to nawet wychodzili, kiedy się pojawiał, albo milkli, ale on się tym nie przejmował, a przynajmniej nie robił nic, żeby zdobyć życzliwość sąsiadów. Czasem tylko zostawał trochę dłużej, kiedy w gospodzie byli policjanci, albo strażnicy z gminy, ale nawet wśród nich nie miał przyjaciół. Zbierali się razem, tak przypuszczam, żeby nie czuć się samotnie, ale nie było wśród nich przyjaźni. Nic, co w najmniejszym stopniu przypominałoby zebrania w domu don Marciala czy spotkania wieśniaków, którzy gromadzili się w barze lub w gospodzie, żeby pograć w karty. On zawsze był sam, stale włóczył się po lesie i obsesyjnie tropił tych, co polowali albo łowili ryby w miejscach niedozwolonych. Lubił to. Sprawiało mu przyjemność złapać kogoś, kto nie miał zezwolenia, na wydzielonych terenach łowieckich.

W domu też był sam. Przypuszczam, że matka przez jakiś czas próbowała go ucywilizować, ale w końcu dała za wygraną. Ona, już pani mówiłem, była pokojówką u państwa Castedo i przyzwyczaiła się do życia na jakim takim poziomie. Była bardzo czysta, bardzo porządna, lubiła ustawiać w domu kwiaty, choćby tylko w szklance. A on wprost przeciwnie: choć matka ciągle prała mu ubranie i czyściła buty, zawsze wyglądał brudno, niechlujnie, prostacko. Nie mył się, a golił i strzygł tylko od wielkiego święta. Zawsze śmierdział potem albo gnojem. Szedł do obory karmić bydło, albo rozrzucał nawóz w ogródku, a po robocie siadał do stołu z brudnymi rękami. A jak matka zwracała mu uwagę, odburkiwał: „Niech się myją twoi paniczykowie". Często tak odpowiadał, a kiedy matka albo ja nie ustępowaliśmy, zaczynał kląć i wściekać się jak dzika bestia, albo rozbijał o ziemię coś, na czym jej zależało: wazonik, który sobie kupiła na targu, paterę na owoce podarowaną przez Laurę, czy też ciskał kieliszkiem wina w obrazek, który sama wyhaftowała. Takie właśnie sceny pamiętam: ojciec w furii, a matka bez słowa zaciskająca usta z wyrazem goryczy i rezygnacji. I moje pragnienie, żeby zniknął z naszego życia...

Z początku było to pragnienie niekonkretne, bez wyraźnego sformułowania. W dzieciństwie często zamykałem oczy i zaczynałem myśleć o tym, co chciałem, żeby się spełniło: na przykład, kiedy wysyłano mnie, żebym zbierał żołędzie dla świń albo ścinał trawę, mówiłem do siebie: „Niech przyjdzie Laura, niech przyjdzie Laura". I czasem Laura się pojawiała i wtedy wierzyłem, że ściągnąłem ją myślą, chociaż częściej zdarzało się, że nie przychodziła. I to samo praktykowałem na ojcu. Wiele razy, kiedy leżałem w łóżku i matka wchodziła, żeby pocałować mnie na dobranoc, a ojciec sarkał, że zrobi ze mnie pedała, zamykałem oczy i usilnie myślałem: „Niech odejdzie, niech odejdzie na zawsze i nigdy nie wróci"... Dopiero potem, kiedy podrosłem i miałem czternaście, piętnaście lat, zacząłem życzyć mu śmierci: niech się postrzeli z dubeltówki, niech spadnie w przepaść...

Nie wiem, co czuła moja matka. Nigdy o tym nie rozmawialiśmy, tak samo jak nie rozmawialiśmy o wielu innych sprawach. Nigdy jej tego nie powiedziałem. Zawsze czułem, że to zbyt potworne, żeby jej o tym mówić, i żeby ona mnie o tym mówiła. Bo on był okropnym człowiekiem, ale nas nie maltretował i utrzymywał dom ze swojej pracy. Tak że w jakimś sensie czułem się złym synem, niewdzięcznikiem, a poza tym popełniałem grzech śmiertelny; wtedy chodziłem do spowiedzi i do komunii i ksiądz mi powtarzał, że trzeba szanować ojca i matkę, i za pokutę kazał wiele razy odmawiać ojczenasz...

To nie był don Gumersindo. Jego znałem, bo widywałem go w domu Laury, i wstydziłem się przed nim spowiadać, więc chodziłem do innych księży. Tylko raz poszedłem do niego; zrobiłem to, kiedy już przestałem się spowiadać. Chodziłem z matką na niedzielne msze, towarzyszyłem jej i nic więcej. Ale tamtym razem potrzebowałem porozmawiać z jakimś księdzem, który nie ograniczyłby się do pouczania, że trzeba szanować ojca i matkę, i dlatego poszedłem do don Gumersinda. Był w konfesjonale, więc się zbliżyłem i prawie mechanicznie wypowiedziałem formułkę spowiedzi.

Już miałem siedemnaście lat. To było wtedy, kiedy postanowiłem zostać tutaj i nie iść na uniwersytet. Myślę, że gdybym tyle razy nie życzył śmierci ojcu, może bym poszedł, ale w jakiejś mierze czułem się winny jego choroby. Wiedziałem, że życzenia nie zabijają ani nie sprawią, że osoba, której nie chcesz widzieć, zniknie, ale tak samo jak myślałem, że ściągam Laurę myślą, w głębi duszy wierzyłem, że moje myśli wywołały raka u ojca. Don Gumersindo powiedział mi, że człowiek nie odpowiada za swoje życzenia, tylko za to, że się w nich pławi. I że to nie powinno wpływać na moją decyzję. On uważał, że na dłuższą metę dla wszystkich byłoby lepiej, gdybym wyjechał, że mój ojciec i tak umrze, a że mając studia, mogę zapewnić lepszą opiekę matce. Powiedział mi: „Nie karz siebie za coś, czego nie byłeś winien". I powiedział też: „Nie można kochać z obowiązku. A kochać twojego ojca jest bardzo trudno. To był wielki błąd, że wydało się twoją matkę za niego".

Tak się wyraził: „wydało się twoją matkę". I nic więcej nie dodał. Nikt nigdy nie powiedział nic więcej na ten temat, już pani mówiłem. I ja też nic więcej nie umiem powiedzieć...

Nie, z Laurą też o tym nie rozmawiałem. Tylko czasem zdarzało mi się nazwać go niechcący bestią, a Laura powiedziała kiedyś: „Jak twoja matka mogła za niego wyjść"... I natychmiast zmieniła temat i nawet zmieszała się tak, jakby popełniła jakąś gafę, jakby powiedziała coś, czego nie powinna...

Mówiłem, że don Gumersindo starał się uwolnić mnie od poczucia winy, ale w dalszym ciągu czułem się winny, bo w miarę jak dojrzewałem, a zwłaszcza wtedy, kiedy ojciec zachorował, zacząłem myśleć, że być może on też cierpiał przez nas, przez matkę i przeze mnie. Musiał odczuwać naszą obojętność, brak chęci porozumienia się z nim, brak zainteresowania albo sprzeciw wobec tego, co robił, wobec jego donosów, nieubłaganego prześladowania kłusowników. Więc on odpowiadał na to zamykaniem się w sobie i złymi humorami. Ale na więcej sobie nie pozwalał.

Znałem mężczyzn, którzy bili swoje żony i dzieci, niektóre dzieciaki przychodziły do szkoły naznaczone śladami ojcowego rzemienia. A on nigdy nas nie uderzył. Tylko raz potrząsnął matką i nazwał ją gównianą jaśniepanienką. Ale tylko raz... Natomiast przez całe niedzielne popołudnia nie wstawał z łóżka, a kiedy matka, która miała dość siedzenia w domu, mówiła mu, żeby wstał, że trzeba przewietrzyć pokój, wpadał we wściekłość i wtedy nie pomagały żadne próby załagodzenia sytuacji. Starałem się do niego zagadać, powiedzieć coś o szkole albo o zwierzętach w lesie, że widziałem jakieś gniazdo albo żmiję, cokolwiek, robiłem to dla matki, żeby mu przeszła złość i wyszedł z nią na spacer, jak to wszyscy robią w niedzielne popołudnie. Ale on zawsze odpowiadał mi grubiańsko: „A gówno mnie obchodzi, co widziałeś i w ogóle gówno mnie obchodzi, co robisz". I czułem, że to prawda, że absolutnie go nie interesowało nic, co było interesujące dla mnie i dla matki, i że był przeciwny wszystkiemu, co robiliśmy, tak jak my temu, co robił on, i że gdyby nie Ramón de Castedo, ja pracowałbym w kamieniołomie. I wtedy znowu pragnąłem, żeby zniknął z mojego życia, z naszego życia... Zostałem tutaj i zrezygnowałem z uniwersytetu dla mojej matki, ale po części także dla niego, bo czułem się winny jego choroby. Dokładniej mówiąc, nie tyle jego choroby, bo racjonalnie wiedziałem, że nie zależała ona od moich życzeń, ale tego, że życzyłem mu śmierci wtedy, kiedy rzeczywiście miał umrzeć. Wobec zbliżającej się śmierci ogarniał mnie wstyd, że mu tego życzyłem. Ale nie dlatego postanowiłem zostać. Choroba w początkowym stadium jeszcze pogorszyła jego charakter i wiedziałem, że jeśli wyjadę, matka będzie bardzo cierpiała przez niego. U matki zaczynał się wtedy artretyzm i sama nie byłaby w stanie wszystkiemu podołać. Powiedziała mi, że bardzo chętnie pójdzie do domu starców, żebym tylko został architektem. Myślę, że byłaby gotowa umrzeć, byleby nie być przeszkodą w mojej karierze i w moim życiu. Ojciec mi powiedział: „Zrób, co ci jaja dyktują". W taki swoisty sposób dał mi do zrozumienia, że nie ma zamiaru być mi wdzięcznym za poświęcenie, bo wiedział, że nie robię tego dla niego. Rozmawiali z nim na ten temat don Marcial i Castedo, a także don Gumersindo, a jedną z cech jego charakteru, której nienawidziłem, był despotyzm w stosunku do słabszych, a serwilizm w stosunku do panów. Był służalczy, ale zawistny. Nie miał odwagi przeciwstawić się panom, ale jak tylko mógł, to im szkodził. Pozwolił, żeby pola należące do dworu zostały opanowane przez króliki, bo nie wykładał im trutki jak należało. I mnie po latach przypadło walczyć z tą plagą: króliki zryły kompletnie ziemię, pokopały tunele, zniszczyły korzenie drzew i wszystko dookoła. A potem ten pożar u Castedów. Oni mieli taki niewielki kawałek ziemi, gdzie uprawiali kasztany, które sprzedawali cukiernikom z Ourense do produkcji brązowego lukru i dostawali za to parę groszy, no więc, co tu dużo mówić, ojciec, który zawsze widział wszystko, co się w lesie dzieje, tamtego dnia niczego nie widział, akurat był gdzie indziej, i wszystkie kasztanowce spłonęły, serce bolało patrzeć na te piękne drzewa zupełnie spalone.

Dlatego byłem pewien, że jeżeli wyjadę, on będzie się wyżywał na matce, nie fizycznie, ale opowiadając o mnie najgorsze rzeczy, bo właśnie to bolałoby ją najbardziej. W tym czasie, kiedy przeżywaliśmy największe rozterki, czy mam jechać, czy zostać, Castedo pewnego dnia powiedział ojcu, że gdybym zdecydował się na wyjazd, to on, don Marcial i don Gumersindo, zajmą się tym, żeby niczego im nie brakowało. Ojciec odpowiedział, że jeśli o niego chodzi, to chciałby, żeby dla mnie było jak najlepiej. Tak mówił przed nimi, ale potem, w nocy, powiedział do matki, wiedząc, że ja słyszę: „Twój kochany synek pośle cię do przytułku, a sam pójdzie za tymi paniczykami, bo właśnie takie życie mu się podoba, tak jak tobie. Masz, co chciałaś"...

Tak więc pomyślałem, że jeśli wyjadę, matce będzie ciężko i może nawet umrzeć, jak mi powiedział don Benjamín, nie na artretyzm, tylko z żalu i depresji. A tego nie mogłem ryzykować. Zostałem i jeszcze nieraz życzyłem ojcu śmierci, dopóki nie zacząłem odczuwać dla niego litości.

Pani to nie dziwi? A mnie tak. Do tej pory nie rozumiem, jak mogłem żywić uczucia tak ze sobą sprzeczne. Ale tak było. Już w dzieciństwie zdarzało się, że czułem litość dla ojca. Z powodu brody i skołtunionych włosów zawsze wydawał się starcem, zresztą był dużo starszy od matki, o dwadzieścia lat. Nigdy nie chodził z nami na niedzielne msze. Jeżeli szedł, to sam, i stawał z tyłu. Nie było w tym nic nadzwyczajnego, wielu mężczyzn tak robiło, przychodzili późno, stawali przy drzwiach i pierwsi opuszczali kościół. Jednak po mszy, szczególnie w odpust, czekali na rodzinę i razem z nią szli oglądać sklepiki i kramy, kupowali *churros*, obwarzanki, baloniki, jakieś błyskotki. Natomiast on, jak tylko ksiądz udzielił błogosławieństwa, zaraz znikał i pojawiał się dopiero w porze obiadu. Ale pamiętam, że raz było inaczej. W dzień odpustu zobaczyłem, że po mszy stoi przy drzwiach, nie wychodzi i czeka na nas. Miał nowy mundur i kołtuny nieco bardziej przygładzone niż zazwyczaj. Już miałem powiedzieć o tym matce, ale ona wzięła mnie za rękę i powiedziała, że pójdziemy zapalić świeczkę Matce Boskiej Bolesnej, więc odmówiliśmy tam ojczenasz i dwie zdrowaśki, a potem przeszliśmy do ołtarza Świętego Franciszka, mojego patrona, i tam też się pomodliliśmy. I jeszcze poszliśmy do jakiegoś trzeciego ołtarza. Kiedy skończyliśmy się modlić, ojca już nie było. Nie rozmawiałem o tym z matką, ale zdałem sobie sprawę, że ona nie chciała z nim wyjść, i wtedy zrobiło mi się go żal.

I też było mi go żal, kiedy ludzie się od niego odsuwali. Kilka razy widziałem to na własne oczy. Przy drodze wychodzącej ze dworu stoją ławki i po południu grzeje tam słońce. Ludzie pracujący na polach, szczególnie mężczyźni, często tam siadają, żeby zapalić papierosa czy odpocząć. Dwa razy widziałem, jak siedzący na ławce wstali na widok ojca i odeszli. I nie chodziło o to, że ustępowali mu miejsca, bo było go pod dostatkiem. Ojciec nic nie powiedział, usiadł, zapalił papierosa i poszedł swoją drogą. Ale mnie było go żal i byłem wściekły na tych ludzi. Ale były i gorsze rzeczy.

Raz kłusownicy przygotowali zasadzkę: wykopali dół na leśnej drodze, gdzie zwykle przechodził o świcie. Napełnili go świńskim łajnem i przykryli chrustem. Była zima, ojciec wyszedł przed wschodem słońca, kiedy jeszcze było ciemno, jeżyny wyrosły wysoko, więc nic nie zauważył i wpadł do dołu. Przez wiele miesięcy opowiadano sobie o tym w gospodzie. Mnie powiedziały dzieciaki w szkole. A innym razem podłożono mu sidła na lisa, przez co o mało nie stracił nogi. Dwa miesiące leżał w łóżku, ale wrócił do pracy, chociaż kulał, i zadenuncjował całą masę ludzi. To wszystko wzmagało jego wściekłość i pragnienie zemsty, ale mnie go było szkoda i wtenczas chciałem, żeby złapał sprawców i wsadził ich do więzienia...

Był znienawidzony. Musiał wyrządzić wiele krzywd. Niektórzy ludzie żyli z kłusownictwa, nie mieli innych źródeł utrzymania, i przez niego wiele rodzin pewnie znalazło się w nędzy, kiedy zadenuncjował ojca albo synów. Tylko tak można wytłumaczyć to, co mu zrobili, kiedy już był ślepy.

Rozróżniał tylko kształty i cienie, nie potrafił rozpoznawać osób. Ale codziennie prosił mnie, żebym go wyprowadził do lasu i tam siedział oparty o pień drzewa. Wtedy zrozumiałem, że bardzo lubi las, bo spędzał całe godziny, słuchając dźwięków, które do niego dochodziły: słyszał owady, jaszczurki, króliki, krety, przepiórki, turkawki, różne małe ptaki i zwierzątka, które żyją obok nas, chociaż ich nie widzimy, jednak kiedy natężymy uwagę, możemy je usłyszeć. I on lubił ich słuchać. Zapamiętał drogę i choć prawie nic nie widział, zaczął sam chodzić do lasu, pomagając sobie laską, bo krępowało go, że jest ode mnie zależny. Prawdę mówiąc, nie był kłopotliwy, o nic nie prosił, godzinami siedział oparty o pień drzewa albo leżał na łóżku, jeśli zbyt mocno padało. I nie skarżył się. Wiedzieliśmy, że boli go głowa, bo obejmował ją rękoma, ale się nie skarżył. I był w dalszym ciągu ordynarny, jak zawsze. Kiedy zbliżała się pora podawania mu środków przeciwbólowych, zwykle mówił: „No, przynieś wreszcie, kurwa, te pieprzone lekarstwa".

Wciąż był odstręczającym facetem, którego nikt nie chciałby spontanicznie pocałować ani przytulić. Jeszcze bardziej niechlujnym i opryskliwym niż kiedyś, jeśli to w ogóle możliwe. Jednak kiedy zobaczyłem go leżącego pod drzewem z twarzą pokrwawioną i siną od razów, poczułem, że go kocham.

Biło go kilku. Nic nie mówili, bili go w milczeniu i ojciec nie mógł ich rozpoznać. Walili go pięściami i kopali. Wybili mu kilka zębów i połamali żebra. Wyrwali kępy włosów z głowy i brody. Musieli go zawlec głębiej do lasu i zatkać usta, bo nikt tego nie widział ani nie słyszał. A ci, co widzieli albo słyszeli, wtedy nie chcieli nic mówić...

Zabiłbym tych, co go napadli. Przysięgam pani, że w tamtej chwili zrobiłbym to własnymi rękami. Obiecałem ojcu, że wcześniej czy później znajdę ich i że odpokutują za swoje czyny...

Tak... Jeśli się ma pieniądze, łatwo wyciągnąć zeznania i znaleźć świadków. Umiałem na to poczekać. I poszukałem dobrego adwokata, który oskarżył ich o usiłowanie zabójstwa. Doprowadziłem do tego, że znaleźli się w więzieniu. Dwóch z nich już nie żyje, a jeden jest w zakładzie dla obłąkanych. To byli nędzni łachmaniarze, którzy poza kłusownictwem nie nadawali się do niczego, zarówno ojciec, jak jego dwaj synowie...

Pobicie zrobiło swoje. Usiłowanie zabójstwa nie było przesadą. Ojciec już z tego nie wyszedł. Ze szpitala przywieziono go do domu, żeby tam umarł. Przez ostatnie miesiące jego życia matka stale była przy nim. W szpitalu

109

domyto go, ostrzyżono mu włosy i obcięto brodę, i w tym ostatnim okresie wyglądał tak porządnie, jak nigdy przedtem. Kiedy wrócił do domu, matka zapytała go, czy chce na nowo zapuścić brodę, czy też ma go ogolić, tak jak robiono to w szpitalu. Odpowiedział: „Zrób jak chcesz".

Matka wydała sporą część swoich oszczędności i kupiła elektryczną maszynkę do golenia, która w tamtych czasach była nowością, i codziennie przejeżdżała mu nią po twarzy, i nacierała go wodą kolońską. Przygotowywała mu jedzenie i karmiła go. Jadł tylko rosół. I robiła mu też zastrzyki z morfiny. Jeden rano i jeden wieczorem, nauczyła się w szpitalu... A ja przejąłem cała pracę. Matka siadała obok łóżka, brała ojca za rękę, kiedy spał, i tak spędzała całe dnie...

Ja poświęcałem mu mało czasu. Musiałem zajmować się pracą, a poza tym nie potrafiłem powstrzymać łez, kiedy widziałem go takiego słabego, takiego bezbronnego. Przypominałem sobie, co mu zrobili, i ogarniała mnie rozpacz. Przysiągłem mu, że ich znajdę i że drogo za to zapłacą. Matka bała się, że ojciec rzuci jakieś nazwisko, że ja wtedy stracę głowę i będę chciał dochodzić sprawiedliwości na własną rękę. Ale on nigdy nic nie powiedział, a wtedy, kiedy mu przysięgałem, że go pomszczę, kiwnął głową i wykrzywił usta, co miało oznaczać uśmiech; był to jeden z niewielu przypadków, gdy widziałem, jak się uśmiecha. Przez tę brodę, którą zawsze nosił, nie widać było, czy się uśmiecha, czy nie. Ale wtedy uśmiechnął się w ten właśnie krzywy sposób i powiedział: „Jestem pewien, że to zrobisz"...

Nie, nigdy nie nazwał mnie synem, już pani mówiłem, że nie był czuły. Mówił do mnie „Paco" albo wołał: „Hej, ty!"... Ja zwracałem się do niego „ojcze". Moja matka też. Mówiła do mnie: „Powiedz ojcu, że obiad gotowy", albo żeby przyniósł wody ze studni, tak normalnie...

Nie, nie jestem do niego fizycznie podobny, co do charakteru to nie wiem... Włosy mam podobne do matki, ona była bardzo ciemną brunetką, a oczy miała niebieskie. Ojciec był raczej rudy, czerwony na twarzy i miał okropną cerę. Nosił słomianą brodę, a włosy, jakby je tak umyć i uczesać, może by i były ładne, ale tak, to zawsze wyglądały jak krowi ogon, za wyjątkiem ostatnich miesięcy, kiedy były już siwe i przystrzyżone.

Ramón de Castedo?... Castedo miał jasne oczy...

Nie, nie zielone. Były niebieskie...

XII

Pani myśli, że ja jestem synem Casteda, tak samo, jak myśli pani, że ożeniłem się z moją żoną, bo była ładna, bogata i uległa, ale że wciąż kochałem się w Laurze. Przyjechała pani z tym przekonaniem, a teraz tylko potrzebne jest potwierdzenie. Nie wiem, dlaczego upiera się pani, żeby ciągnąć dalej tę rozmowę...

Nie neguję, że taka możliwość w ogóle istnieje, ale nawet Laura kiedyś powiedziała, że jestem podobny do ojca. Nie, nie chodzi o kolor włosów, o tym już mówiłem, ale o budowę ciała i taki ogólny wyraz, który identyfikuje członków jednej rodziny bez względu na to czy są blondynami, czy brunetami. A myślę, że z upływem lat stało się to jeszcze bardziej widoczne...

Rozumiem pani argumenty. Zdaję sobie sprawę, że niektóre fakty i sytuacje w życiu mojej matki i moim mogą za tym przemawiać. To, że matka zareagowała w tak przesadny sposób na nietakt Maíty, skłania do myślenia, sugeruje, że miała jakąś tajemnicę, że naprawdę było coś między nią a Castedem, bo właśnie tego dotyczyło tamto bezczelne, choć niewinne pytanie mojej córki. I słowa don Gumersinda: „To był błąd, że wydało się twoją matkę za tego człowieka"... Ja też dziesiątki razy zastanawiałem się nad tymi słowami. Wygląda na to, że matka nie wybrała go z własnej woli, że inni ją za niego wydali, i że zrobili tak z jakiegoś powodu, żeby coś ukryć albo...

Żeby dać ojca temu, co było w drodze, rzeczywiście, to pierwsza rzecz, jaka człowiekowi przychodzi do głowy. Proszę nie sądzić, że boję się o tym myśleć, albo uważam to za skandal. Myślałem o tym i myślałem. Liczyłem lata. Laura też, chociaż nie zdradzaliśmy przed sobą powodów naszych obliczeń. Laura, jak mówiła, była ciekawa, kiedy i jak ojciec pojawił się w życiu mojej matki, jak to się w ogóle stało, i zadawała te pytania mnie, żebym ja z kolei pytał o to matkę. Na pewno ten temat ją interesował, ale przy okazji chciała zaspokoić swoją ciekawość co do małżeństwa mojej matki. Nieraz musiała pomyśleć, że mógłbym być synem Casteda.

Teoretycznie to możliwe. Castedo był najmłodszym z grupy przyjaciół; młodszym od don Marciala, don Gumersinda i don Benjamina. I również młodszym od mojej matki. On miał dwadzieścia lat, kiedy matka miała dwadzieścia pięć, wtedy, kiedy ja się urodziłem i umarła doña Inmaculada. Matka pracowała jako pokojówka w domu państwa Castedo, ale gdyby to chodziło o dom Monterrosów, mogłaby zajść w ciążę z ojcem albo z którymś z synów, bo zaludnili nieślubnymi dziećmi całą okolicę. Ale starszy pan Castedo był uosobieniem uczciwości, a Ramón de Castedo był zakochany, jak wszyscy mówią, w matce Laury.

Nie było łatwo uporządkować daty, bo matka zawsze podawała je w przybliżeniu: „Doña Inmaculada musiała mieć jakieś dwadzieścia lat, kiedy umarła", albo: „Miała około osiemnastu, kiedy don Marcial przyjechał tu jako nauczyciel", w tym stylu; nigdy nie podawała ścisłych dat... Don Marcial na pewno by to wszystko wiedział, ale Laura nie chciała go pytać, żeby nie rozdrapywać ran, albo dlatego, że nie lubiła rozmawiać z nim na ten temat. Nie wiem.

Nana i moja matka to główne źródło naszych informacji. Ale Nana też nie była dokładna, jeśli chodzi o daty. Według tego, czego mogliśmy się dowiedzieć, doña Inmaculada i don Marcial zakochali się w sobie od pierwszego wejrzenia: poznali się i od razu zakochali. Było to wkrótce potem, jak don Marcial tutaj przyjechał, ale już wtedy zdążył się zaprzyjaźnić z Ramonem de Castedo. I wydaje się rzeczą bezsporną, że choć ta miłość odebrała Ramonowi de Castedo względy doñi Inmaculady, nie zerwała świeżo zawiązanej przyjaźni.

Istnieje taka możliwość, że Castedo pocieszył się moją matką po stracie doñi Inmaculady. Nawet zacząłem myśleć, że nie zerwał przyjaźni z don Marcialem, bo już wtedy był nią zainteresowany. To pasowałoby do schematu, że młody człowiek uczy się miłosnych sztuczek ze służącą, starszą od niego i nieco bardziej doświadczoną. Rodzina się dowiaduje i wydaje dziewczynę za pierwszego lepszego, który się nawinie, żeby ją usunąć z pola widzenia.

Ale to nie wyjaśnia, dlaczego wybrano mojego ojca. Dlaczego jego? Był wdowcem, dwadzieścia lat starszym od matki, i nie sądzę, by wtedy miał wygląd czy charakter dużo lepszy od tego, który pamiętam...

Nie, ojciec nie miał dzieci z pierwszego małżeństwa, a z drugiego miał tylko mnie. To jeszcze jeden argument przeciwko jego ojcostwu. A jednak, proszę mi wierzyć, gdyby nie był moim ojcem, wiedziałbym o tym...

Nie, nie myślę o więzach krwi, chociaż tak można by sądzić po bólu, jaki odczułem, kiedy umierał złamany i bezbronny. Chodzi mi o coś innego: w małych miejscowościach takie rzeczy się wie.

Jakieś dziecko ze szkoły by mi o tym powiedziało, tak jak powiedzieli Carmiñi, tej przyjaciółce Laury, o której pani opowiadałem, że jej ojcem jest Monterroso. Pewnie usłyszałbym jakąś rozmowę osób dorosłych albo mojemu ojcu wyrwałoby się jakieś oskarżenie w ataku złości. Ale tak się nie zdarzyło. Do matki mówił, że jest jaśniepaniusią i że podobają jej się paniczyki, ale nigdy jej nie zarzucił jakiejś poważnej ujmy na honorze. To było tak, jakby się wyśmiewał z jej pragnień albo marzeń; pragnień i marzeń nigdy nie spełnionych. Tak było. Wytykał matce wprost, że chce dla siebie i dla mnie rzeczy, których nie może osiągnąć i nigdy nie osiągnie, bo nie należą do jej świata, tylko do innego, tego, w którym obracała się, zanim za niego wyszła; świata, który ojciec uważał za zamknięty i niedostępny dla nas.

Matka widziała to inaczej. Tak jak mówiła, wierzyła w siłę inteligencji i wykształcenia. Wierzyła, że jeśli będę się uczył, to przy moich zdolnościach, tak ona mówiła, mógłbym osiągnąć to, co don Benjamín, albo i więcej. A mój ojciec w to nie wierzył, i gdyby to od niego zależało, nie pozwoliłby mi nawet spróbować. Dlatego stał się dla nas taki nienawistny, bo zamykał nam drogi do tego, czego ja i matka tak bardzo pragnęliśmy...

Prawdę mówiąc, nie przyznałbym się do tych myśli nawet przed Laurą, ale kiedy byłem chłopcem, w głębi duszy pragnąłem być synem Casteda albo don Gumersinda czy Benjamina, czy kogokolwiek innego, byle tylko nie mego ojca...

Don Marciala nie, ze względu na Laurę. Nie miałem rodzeństwa i nie wiem dokładnie, co to jest za uczucie, ale wiedziałem jasno, że nie chciałbym, żeby była moją siostrą... Tylko kiedy zaczęto mówić, że ma narzeczonego w Madrycie – już pani mówiłem, że ona sama powiedziała

115

od tym Carmiñi i dla mnie nie ulega wątpliwości, że po części chciała, by to dotarło do mnie – przez jakiś czas wyobrażałem sobie, że może jesteśmy rodzeństwem i to z tej przyczyny Laura wyjeżdża; nie dlatego, że jest zakochana w kimś innym, tylko dlatego że nasz związek jest niemożliwy. Ale to były wyłącznie fantazje, coś, co wymyśliłem sobie, żeby się pocieszyć, kiedy dowiedziałem się, że wyjeżdża, że porzuca to wszystko...

Więc wyłączając don Marciala, bo jest niemożliwe, żeby był moim ojcem, najbardziej chciałem, żeby to był Ramón de Castedo. Podobał mi się jako człowiek, nawet starałem się go naśladować. Sposób, w jaki mnie bronił, kiedy ojciec chciał wysłać mnie do kamieniołomu, jak na nim wymógł, żeby dawał mi czas na naukę... Podobał mi się jego naturalnie pański sposób bycia, który, jak mówiła moja matka, wynikał z dobrego urodzenia, tak jak w przypadku Laury. Don Marcial był zbyt dobry, zbyt wyrozumiały dla słabości i wad innych ludzi. Tylko on jeden tłumaczył mojego ojca i rozumiał go. Kiedyś powiedział mi, że jeśli uparcie opowiada się o kimś, że jest zły i dziwaczny, ten w końcu stanie się zły i zdziwaczeje. Chodziło o tych ludzi, o których się plotkuje, że rzucają urok. Wie pani, co to jest? Kiedyś często się o tym mówiło w wioskach i w małych miasteczkach. Wierzono, że niektóre osoby mają moc sprowadzania nieszczęścia: popatrzą na krowę czy świnię i zwierzę zaczyna chorować i pada, i to samo mogą robić z ludźmi, którzy marnieją w oczach, a lekarze nie umieją znaleźć przyczyny choroby. A to dlatego, jak mówiono, że to jakiś ten czy tamten rzucił zły urok. Don Marcial tłumaczył nam, że to nieprawda, że nikt nie ma takiej mocy, ale kiedy ludziom przywidzi się, że ktoś jest winien rzucania uroków, ten napiętnowany zaczyna robić dziwne rzeczy i nawet staje się zły, bo czuje nieufność i brak szacunku ze strony otoczenia. Natychmiast pomyślałem o moim ojcu i don Marcial, chociaż wtedy mówił o przesądach, musiał to wyczuć, bo spojrzał na mnie i powiedział: „Ludzie, którzy czują się pogardzani albo niekochani, w końcu odpłacają tym samym i tak powstaje zamknięty krąg, który bardzo trudno przerwać".

I później wiele razy myślałem o tym, że ojciec nigdy nie okazał mi żadnej czułości, nie widziałem też, żeby okazał ją kiedykolwiek mojej matce, ale my także nigdy nie potraktowaliśmy go cieplejszym gestem, dopiero na końcu, kiedy był już ślepy i umierał. W jakimś momencie musiał wytworzyć się ten zamknięty krąg, o którym mówił don Marcial, ale zapewne stało się to, zanim zacząłem cokolwiek rozumieć, bo od kiedy sięgnę pamięcią, zawsze był gburowaty, oschły i obojętny w stosunku do nas...

Nie wiem czy żyli ze sobą, czy nie. Spałem w oddzielnym pokoju i nigdy niczego nie słyszałem...

Spali w jednym pokoju, ale mieli dwa łóżka, przynajmniej od kiedy pamiętam. To w tamtych czasach na wsi było rzadkością. We dworach pani często miała swój pokój, a pan swój, nie na początku małżeństwa, ale po jakimś okresie wspólnego pożycia. W domu Laury dziadkowie mieli oddzielne sypialnie. Doña Inmaculada i don Marcial mieli jedną sypialnię i tylko jedno łóżko, w którym on spał także po jej śmierci. Moja matka spała w tym samym pokoju co ojciec, na węższym łóżku, które miało deski włożone pod materac. Już za młodu cierpiała na bóle kości i don Benjamín polecił jej, żeby spała na twardym. Ojciec spał na małżeńskim łożu, które kiedyś nie były tak szerokie jak te dzisiaj. Miało całkiem ładny zagłówek z kutego żelaza. Teraz stoi w pokoju gościnnym jednego z moich synów...

Wydaje mi się, że nie współżyli ze sobą... Wiem, że wspomnienia mogą być zafałszowane przez moje własne odczucia, przez miłość, jaką miałem dla matki, i brak miłości do ojca. Ale w pamięci utrwaliła mi się jedna scena, która powtarzała się z małymi różnicami: ojciec wstaje od stołu po kolacji, ziewa, przeciąga się i wychodzi do sypialni. Nigdy nie mówił dobranoc ani nie żegnał się ze mną. Najwyżej powiedział: „Idę spać". Matka zostawała, żeby umyć naczynia i posprzątać w kuchni. Zazwyczaj już wcześniej wkładała gliniane butle z gorącą wodą do łóżek, ale czasami robiła to po jego wyjściu i wtedy mnie wysyłała, żebym je powkładał do pościeli: trzy butle, po jednej dla każdego.

Matka zawsze szła spać później niż on. Jakieś pół godziny, bo tyle zabierało jej posprzątanie kuchni i przygotowanie wszystkiego do śniadania na następny dzień. Jedliśmy w kuchni, gdzie było palenisko z dymnikiem – jedynym ciepłym miejscu w całym domu. Czasami siedziałem jeszcze dość długo i odrabiałem lekcje, jeśli nie zdążyłem ich zrobić wcześniej, albo czytałem, wykorzystując żar, który zostawał w palenisku. Ona wstawała o tej samej porze co ojciec i robiła mu śniadanie. Zimą po jego wyjściu jeszcze wsuwała się do łóżka, potem wstawała razem ze mną i wspólnie jedliśmy śniadanie. Rano, w południe i wieczorem pomagałem matce sprzątać naczynia, przynosiłem drwa, czasem rozpalałem pod kuchnią i karmiłem zwierzęta: świnię, kury i króliki. Resztę prac wykonywała ona. Ojciec w domu nie robił nic, w ogrodzie też nie. Kiedy matce nasiliły się bóle artretyczne, a ojciec zachorował na raka, ja przejąłem wszystkie obowiązki matki. Ona siadała przy palenisku i gotowała.

Skąd to przekonanie, że jest moim ojcem? Już pani mówiłem: ktoś by mi o tym doniósł w takiej czy innej formie. Zresztą z latami zaczęły się u mnie wykształcać

118

cechy ojca, sama Laura powiedziała mi raz, że jestem do niego podobny. Za jego życia robiłem wszystko, żeby być innym, żeby zachowywać się tak, jak mnie uczyła matka i jak, według moich obserwacji, zachowywali się don Marcial i jego przyjaciele. Mówiłem pani, że starałem się naśladować Ramona de Castedo. Kiedyś Laura zauważyła: „Patrzysz jak Castedo", i zaraz się zmieszała, tak samo jak wtedy, kiedy mi powiedziała, że nie rozumie, jak moja matka mogła wyjść za mojego ojca. Wyraźnie bała się obrazić mnie takimi komentarzami. Ale ja się roześmiałem, bo prawda była taka, że wyćwiczyłem u siebie to spojrzenie, ten gest malarzy, kiedy mierzą modela czy pejzaż, wyciągając rękę z podniesionym ołówkiem, a czasem po prostu marszczą brew i uważnie patrzą na obiekt z daleka. Wiele razy widziałem, jak to robił Castedo i podobał mi się jego wygląd, jego kapelusz, fajka i ten sposób patrzenia. Kiedy don Marcial kazał nam coś rysować, ja bezczelnie go naśladowałem. I widać, że siła imitacji przekształciła się w zwyczaj, bo kiedy Laura zwróciła mi na to uwagę, moje zachowanie było spontaniczne, dlatego zachciało mi się śmiać. Śmieliśmy się obydwoje i tak się skończyło.

Tu muszę powiedzieć – i spodziewam się, że pani zinterpretuje to należycie, bez trzymania się kurczowo własnej tezy – że Maíta też patrzy w ten sposób. Kiedy córka była mała, spędzała wiele czasu w mojej pracowni i przyglądała się, jak rysuję. Siadała z boku i też rysowała. Widziała u mnie te gesty, określony sposób patrzenia i robiła to samo co ja. Najpierw mnie naśladowała, jak ja Casteda, a potem już robiła to całkiem naturalnie...

Laura mówiła, że jestem podobny do ojca, bo... sam nie wiem, jak to powiedzieć. No dobrze, powiem własnymi słowami. Mówiła, że ojciec był jak dzikie zwierzę, jak

119

bestia, tylko trochę oswojona i obłaskawiona przez współżycie z człowiekiem, która w każdej chwili może się przeciw niemu zbuntować, skoczyć mu do gardła i pożreć. I że ja mam tę samą siłę, ale w sensie pozytywnym. Że mój ojciec jest jak wilk, a ja jak wilczur, który może zginąć w obronie swego pana. Pani wie, te pomysły Laury...

Nie wiem, dlaczego moja matka wyszła za ojca albo dlaczego ją za niego wydano, jak mówił don Gumersindo. Być może wszystko było dużo prostsze, niż się wydaje. Być może ma to związek z tą dzikością, o której mówiła Laura. Moja matka była subtelna i delikatna, a ojciec był brutalem. Przeciwieństwa często się przyciągają...

Nie, nie wyobrażam sobie, żeby matka była w ojcu zakochana, nic w jej zachowaniu i w sposobie, w jaki go traktowała, na to nie wskazywało. Dopiero pod koniec... Wie pani, ja sądzę, że ich oboje musiał prześladować jakiś pech, jakiś fatalizm... przyszło mi do głowy, że on musiał ją... wziąć ją siłą. Nie mówię, że ją zgwałcił, ale coś w tym rodzaju... On miał czterdzieści lat i już był przedtem żonaty, ona nigdy nie miała mężczyzny. On chodził po lesie i miał ten nieokrzesany wygląd, który, jak mówią, pociąga pewne kobiety w pewnych momentach... Ona musiała się na chwilę zapomnieć, a on rzucił się na nią jak bestia, którą był, i kiedy chciała zareagować, już było za późno... Może matka zaszła w ciążę i w tym przypadku to logiczne, że powiedziała o wszystkim pani Castedo. I w ramach tej logiki mogło tak być, że sędzia Castedo wezwał mojego ojca i kazał mu się ożenić z moją matką...

Tak, to wyjaśniałoby słowa don Gumersindo: „To był błąd, że wydano ją za tego człowieka"... Tłumaczyłoby też ich brak wzajemnego zrozumienia i nawet brak stosunków małżeńskich, od czasu, kiedy sięgam pamięcią. I tu można by zrozumieć, dlaczego ostatnie miesiące życia ojca matka spędziła przy jego łóżku, trzymając go za rękę. Koniec końców on też ożenił się z obowiązku, a przecież utrzymywał nas i nie traktował tak źle. Zatruwał nam życie, ale my też mu je zatruwaliśmy...

To ona brała go za rękę. I opowiadała mu, co się dzieje we wsi albo włączała mu radio. On nie protestował. Jestem pewien, że nie była mu potrzebna ani jej litość, ani moja. I musiał myśleć, że już za późno, żeby mogła mu dać to, czego odmawiała mu w ciągu tylu lat wspólnego życia: czułość, poważanie, żeby nie używać słowa miłość...

Na koniec doszła u niego do głosu pewną godność, której przedtem nie miał albo nie potrafiliśmy jej u niego dostrzec. Stanął w obliczu śmierci z odwagą i spokojem. Powiedziałbym, że jak ranny wilk...

Matka płakała po jego śmierci. Ja też. Chociaż żadne z nas potem za nim nie tęskniło. Kiedy żył, nie kochaliśmy go, a po śmierci o nim zapomnieliśmy. To jedyna prawda, która jest tutaj ważna. To, czy był, czy nie był moim ojcem, nie ma znaczenia. Myślę, że jednak był, mówi mi to wewnętrzny głos i wyrzuca mi, że mając takie przekonanie, tyle razy życzyłem mu śmierci. Wilczur jednak nie jest tak szlachetny, jak uważała Laura...

XIII

Dziś jest tu trochę zimno. Albo już jestem stary i zimno zagnieździło się w moich kościach. Chyba właśnie to, czuję się stary, jestem stary, i dlatego robię rzeczy, których nigdy dotąd nie robiłem: czytam wiersze wciąż od nowa, aż nauczę się ich na pamięć; rozmawiam o moim życiu i osobistych sprawach z ludźmi, których zupełnie nie znam. Gdyby ktoś mi powiedział dwa tygodnie temu, że będę opowiadał swoje życie nieznajomej kobiecie, pomyślałbym, że nawet po pijanemu bym tego nie zrobił. A jednak, widzisz. Najciekawsze, że zaczęło mi się to podobać, teraz rozumiem, że są ludzie, którzy nawet płacą, żeby móc opowiedzieć o swoich problemach psychoanalitykowi, co zawsze wydawało mi się szczytem wariactwa...

Co prawda łatwo się z nią rozmawia. Niekiedy przypomina mi ciebie, Lauro. Wszystko chce wiedzieć i tak jak ty milczy i czeka, żebym opowiadał dalej, kiedy nie wystarcza jej to, co już powiedziałem. A czasem podważa moje słowa albo szuka sposobów, żebym się wygadał i powiedział jej coś, czego nie chciałem mówić.

Ty też szukałaś sposobów... „Podobno jesteś bardzo zakochany", mówiłaś, a ja jak głupek zaczynałem opowiadać ci moje życie. Za to ty mi się nie zwierzałaś. Ja też cię nie pytałem. Sądzę, że w głębi duszy nie chciałem wiedzieć. Nie chciałem, żeby to, co nas dzieliło, wypowiedziane stało się faktem i nabrało życia. Twój ojciec miał rację. Są uczucia, a nawet fakty, które stają się nimi naprawdę dopiero wtedy, kiedy nada się im formę za pomocą słów... Chyba już ci o tym mówiłem, to musi być następna oznaka starości, że powtarzam po kilka razy to samo... Ale z drugiej strony czuję się młody, czuję, że odkrywam nowe rzeczy. Teraz od jakiegoś czasu znowu zacząłem czytać. Wieczorami, kiedy dzieci oglądają telewizję, ja wychodzę na trochę do gabinetu i czytam, nie tylko książki o architekturze, ale i te, które przysyła mi Maíta, tomiki poezji. I dzieje się tak samo, jak wtedy, kiedy ty mi takie książki przywoziłaś albo przysyłałaś po wyjeździe do Madrytu: są w nich rzeczy, które czułem, ale nie wiedziałem, że je czuję. I kiedy znajduję je napisane, wypowiedziane słowami, zdaję sobie z tego sprawę. Ja sam mógłbym powiedzieć ci to, Lauro:

Jeśli kiedykolwiek los cię skrzywdzi,
Wspomnij mnie,
Bo tak, jak mogę patrzeć na ciebie bez końca
Tak i czekać bez końca potrafię...

Ja też mogłem patrzeć na ciebie bez końca i czekałem na ciebie wiele lat. Ale nie mogłem tak czekać całe życie. Nie chciałem. I też podjąłem moją decyzję, jak ty podjęłaś swoją. Tak samo nieodwołalną jak twoja. Mówiłaś, że salto mortale należy wykonywać bez siatki, bo inaczej się nie liczy. Trzeba mówić „na zawsze", jak zakonnice w klauzurze, bez odwrotu, bez innej opcji niż śmierć. Tak i ty rzuciłaś się w to twoje absurdalne małżeństwo z mężczyzną, z którym nie rozumiałaś się ani w życiu, ani w łóżku... I nie opowiadaj mi teraz, że mogłaś patrzeć na

123

niego bez końca! Mogłaś też patrzeć bez końca na świętego Jana namalowanego przez Botticellego, na trujące kwiaty, na gniazda, na moje oczy...

Przepraszam, nie chciałem rozmawiać w ten sposób. Jestem trochę zmęczony i zdenerwowany... Zdałem sobie sprawę, Lauro, że ja, który tyle razy zarzucałem ci, że oszukujesz samą siebie, siebie też oszukiwałem. Powiedziałem sobie to, co chciałem usłyszeć, co chciałem, żeby było. A teraz chciałbym wiedzieć, jak było w rzeczywistości.

Doszedłem do takiego momentu w życiu, już nieodwołalnie zbliżającym się do końca, w którym chcę poznać prawdę, choćby była bolesna. Bo do tej pory boli mnie myśl o przeszłości, nie mogę tego przezwyciężyć. Myślę i czuję ból. Osłabła moja rozpacz, ale zwiększyła się gorycz, bo teraz już nie ma nadziei, już wszystko jest ustalone, teraz już naprawdę na zawsze. I chcę umrzeć, wiedząc, co zdarzyło się rzeczywiście, a nie to, co sobie wyobraziłem albo co ty chciałaś we mnie wmówić. Dlatego rozmawiam z tą pisarką, bo w tej rozmowie dochodzę do wniosku, że bardzo możliwe, że ja sam znam odpowiedź, tylko nigdy nie chciałem jej zaakceptować.

Ty jej powiedziałaś, że godzinami patrzyłaś na męża, jak ćwiczył na pianinie i nie przeszkadzało ci, że opuszcza nuty w trudniejszych pasażach, wiedziałaś, że nie jest wielkim pianistą, a sukces na koncertach zapewnia mu nie talent, lecz urok osobisty. Jak u Isadory Duncan, powiedziałaś... Ja nie wiedziałem, kim była Isadora Duncan. Poprosiłem Maitę, żeby mi poszukała informacji, bo chciałem się dowiedzieć i zrozumieć, o co ci chodziło. Okazało się, że Isadora Duncan była wielką tancerką, wyjątkową, mówią, że genialną, miała niespotykany dar tańca, dar stwarzania piękna ruchem swego ciała. To jest artyzm, Lauro. To nie jej fizyczne piękno urzekało widzów, ale jej talent, jej sztuka. I kiedy to przeczytałem, pomyślałem, że oszukiwałaś samą siebie. Mówiłaś, że ci nie przeszkadza, że Fernando nie jest wybitnym pianistą, ale kiedy rozmawiałaś o nim z kimś postronnym, nazywałaś go geniuszem.

Z tego można wysnuć parę wniosków. Po pierwsze: że nie wiedziałaś dobrze, kim była Isadora Duncan. Ty miałaś o wiele większą wiedzę ode mnie, ale myślę, że czasami twoja wiedza była tylko zasłyszana, niepogłębiona solidną informacją na dany temat. Może myślałaś, że to była tancerka bardzo piękna, że wszystko zawdzięczała swojemu urokowi osobistemu. A to nieprawda.

Po drugie: kiedy rozmawiałaś z innymi osobami, wyolbrzymiałaś zasługi swojego męża, choć wiedziałaś dobrze, że przesadzasz. Nie wszystkim mówiłaś to samo; w zależności od tego, z kim rozmawiałaś, mówiłaś to lub tamto. Pamiętam, że przy mnie krytykowałaś Ramona de Castedo, zarzucałaś mu, że stał się malarzem prowincjonalnym, ale wiem, że innym osobom opowiadałaś, jaki wielki z niego malarz. To znaczy, że wobec przyjaciół pozwalałaś sobie na krytykę, ale broniłaś go wobec osób postronnych. I być może w stosunku do męża postępowałaś tak samo.

Po trzecie: zastawiałaś pułapki na siebie samą, oszukiwałaś się. Zdawałaś sobie sprawę, że miał braki techniczne, ale mówiłaś, że to ci nie przeszka. A jednak ci przeszkadzało. Wolałabyś poświęcić życie dla geniusza, tak jak Zenobia dla Juana Ramona Jimeneza, bo to drugi z twoich ulubionych przykładów, kiedy mowa o poświęceniu. I dlatego, że jednak było to dla ciebie ważne, porównywałaś go na koniec do tej wielkiej tancerki i w ten sposób usprawiedliwiałaś swoje życie, które mu oddałaś.

Tak czy inaczej, Lauro, rozmowa z pisarką pozwala mi zobaczyć w jaśniejszym świetle wiele spraw, chociaż to nie jest zbyt przyjemne. Ale teraz właśnie o to mi chodzi. Mówię jej o sobie, i to jest jakaś nowość, bo ja zawsze więcej słuchałem, niż mówiłem, z wyjątkiem sytuacji, kiedy ty mnie brałaś na spytki i wyciągałaś ze mnie to, czego nie chciałem ci opowiadać. Poza tym raczej słuchałem ciebie, i to zupełnie mi nie przeszkadzało, przeciwnie, czułem, że ty otwierasz mi drzwi do miejsc, do których sam na pewno bym nie dotarł. Jesteś jedyną osobą, z którą rozmawiałem o Bogu, o śmierci, o sensie życia, o winie, o poświęceniu, o miłości. Ile czasu przegadaliśmy ze sobą, Lauro! Chociaż ty mówiłaś więcej, chociaż to ty wyciągałaś tematy, często zaskakujące, rzucane w najmniej odpowiedniej chwili. Ale mimo to prowadziliśmy rozmowę, dialog, bo ty zawsze chciałaś wiedzieć, co ja myślę, zawsze zmuszałaś mnie swoimi pytaniami, swoim oczekującym milczeniem, żebym ci powiedział, czy naprawdę wierzę, że wszystko, wszystko, wszystko kończy się wraz ze śmiercią; albo jaki jest prawdziwy powód tego, że zostaję na wsi. Przecież Castedo, twój ojciec i don Gumersindo będą dbać o to, żeby moim rodzicom niczego nie zabrakło, więc dlaczego postanowiłem poświęcić swoją karierę, przyszłość, możliwość zostania wielkim architektem... Pamiętasz, Lauro?

Nigdy potem nie rozmawiałem z nikim, tak jak z tobą... A ty?... Myślę, że ty też nie rozmawiałaś z nikim, tak jak ze mną. Mogłabyś rozmawiać z twoim ojcem, ale z rodzicami tak się nie rozmawia, z dziećmi też nie. Tak można rozmawiać z kimś, kto jest taki jak ty, w twoim wieku, z kim odkrywasz świat w tym samym czasie, kiedy odkrywasz samego siebie i z kim rozmawiasz bez tego szacunku, który narzucają rodzice, i bez tej odpowiedzialności, którą czujesz w stosunku do dzieci. I to zostaje na zawsze. Wracałaś tutaj po miesiącach, czasem latach niebytności, a ta więź wciąż była żywa; mogliśmy rozmawiać o sprawach poważnych albo nie rozmawiać wcale, ale wiedzieliśmy, że zawsze możemy to zrobić, mieliśmy pewność, że oboje poruszamy się na tej samej płaszczyźnie. Pewnego dnia powiedziała mi to Maíta: „Pomimo wszystkich dzielących was różnic Laura i ty nadajecie na tych samych falach"... Nie sądzę, żeby podobnie było z Fernandem. To można wyczuć z tego, co opowiadałaś o nim pisarce: nie chciał mieć dzieci, czuł przeraźliwy strach przed śmiercią, nie przyjmował krytyki, potrzebował, by go podziwiano; był egoistą, tak jej powiedziałaś, był zazdrosny nawet o twoje oddanie dzieciom czy twoją miłość do ojca. W kimś takim można być zakochaną? Uwierzę raczej, że zakochaną oszukaną, uparcie obstającą przy swoim...? Och, Lauro! Jak trudno mi to zaakceptować! Ale sama przyznaj, z kimś takim nie rozmawia się o sensie życia, o zakonnicach zamkniętych w klasztorze ani o tym, jak to jest, kiedy ktoś zostaje księdzem, a ktoś drugi starym kawalerem z miłości do jednej kobiety, która wyszła za wspólnego przyjaciela.

Ja z Isabel też o tym nie rozmawiałem. Castedo, don Gumersindo, tak, o nich rozmawialiśmy, ale jak ludzie, którzy opowiadają anegdoty albo historie z powieści, albo filmów. A nie w ten sposób, jak rozmawiałem z tobą. My dyskutowaliśmy o tym, czy ucieczka w marzenia to idealizm czy tchórzostwo; czy ważniejsza jest nieosiągalna rzeczywistość stworzona w marzeniach czy ta, którą można przeżyć. Czy należy dostosowywać się do tego, co daje ci życie, czy zachowywać aspiracje, ryzykując utratę wszystkiego; czy wolno brudzić sobie ręce, pamiętasz, przez wiele dni rozmawialiśmy o książce Sartre'a *Brudne ręce.* Przysłałaś mi ją pocztą z adnotacją, w której napisałaś tylko: „Chcę wiedzieć, co o tym sądzisz. Przyjeżdżam na Boże Narodzenie i będę do Trzech Króli. Porozmawiamy". I tak samo z *Antygoną.* Ileż to było dyskusji... Jakiego to autora? To nie była grecka tragedia, tylko książka współczesnego pisarza, jakiegoś Francuza... Jak to możliwe, że zapomniałem? Taka jest starość. Nie sądziłem, że kiedykolwiek mógłbym to zapomnieć... Ale pamiętam, że broniłem postawy tego mężczyzny... no tego... Kreona! widzisz, jeszcze pamiętam. Bohaterką, postacią pozytywną była Antygona. Antygona naruszyła prawo, które nie pozwalało pochować jej brata, i miała być za to skazana na śmierć. Ty broniłaś Antygony. Czułaś się Antygoną. I uważałaś, że ja zawsze w życiu będę Kreonem, tak mi powiedziałaś i zrobiło mi się przykro, bo Kreon to negatywna postać, chociaż ja rozumiałem jego racje i wydawało mi się, że on też się poświęca, stosując prawo ponad uczuciami.

Jaki jestem stary, Lauro. Zapominam nazwiska, osoby, chociaż pamiętam nieistotne szczegóły z dzieciństwa i młodości. I pamiętam też, o czym dyskutowaliśmy; to było ważne w moim życiu, to, co czytaliśmy i nad czym tyle rozprawialiśmy. Ale nie miałaś racji, ja w końcu nie przedłożyłem porządku nad uczucia. Życie jest zawsze bardziej skomplikowane, mniej jasne niż książki. Myślę, że na dłuższą metę ja poświęciłem więcej niż ty, chociaż to prawda, że w końcu przedłożyłem życie, rzeczywistość, która była w moim zasięgu, nad nieosiągalne marzenia.

Ale czekałem na ciebie, Lauro. Czekałem na ciebie długo, dużo dłużej, niż możesz to sobie wyobrazić, dużo dłużej, niż ja sam mógłbym uwierzyć...

Laura

Przychodzi moment w życiu, kiedy trzeba zadecydować o przyszłości, i ja wybrałam wyjazd.

Teraz czuję coraz silniejszą nostalgię za tym, co porzuciłam, i za tym, co mogło być. Ale zarazem nie żałuję mojej decyzji. Gdyby czas się cofnął i miałabym szansę wybierać na nowo, na pewno zrobiłabym to samo; bo wiem też, że gdybym postanowiła zostać, zawsze tęskniłabym za tym, co odrzuciłam, i ta frustracja zatrułaby mi szczęście tutaj, naznaczyłaby je piętnem rezygnacji, poświęcenia.

I jeśli już mam tęsknić, to wolę za tym światem, za światem dzieciństwa, za ludźmi, których zawsze kochałam.

XIV

Moje dzieci?... Mam ich ośmioro, już pani mówiłem, i dwadzieścioro wnuków. Nie wiem, co pani o nich powiedzieć. Wszyscy są zdrowi, dzięki Bogu, pracowici, zdolni, ładni i mądrzy; porządni ludzie. Jedynie Maíta jest trochę konfliktowa; dwa razy się rozwiodła i... tak, to teraz jest normalne, ale ona jedyna zerwała swoje małżeństwa i to przez dwukrotne odejście. I nie ma dzieci. I tylko ona była powodem moich zmartwień. Nie żeby robiła coś złego, ale czułem, że jest tak inna niż jej rodzeństwo, i tak niezależna, że bałem się jakichś komplikacji w jej życiu. Nawet teraz. Jest inżynierem, dobrze ustawiona finansowo i towarzysko. Współpracuje ze mną w mojej firmie, ale ma też dużo własnej pracy, za dużo, tak mi się wydaje. Niedługo będzie miała czterdzieści lat i nie podoba mi się, że jest sama. Mogę się pani wydawać człowiekiem przestarzałym albo macho, ale nie dlatego tak myślę, że ona jest kobietą; samotność nie jest dobra dla nikogo, a Maíta nie wykazuje skłonności do stworzenia rodziny ani nawet do życia z kimś w trwałym związku...

Ja? To zupełnie co innego, nie można porównywać. Ja zostałem wdowcem w wieku pięćdziesięciu lat i z ośmiorgiem dzieci...

No tak, w ciągu tych lat po śmierci Isabel miałem jakieś bliższe kontakty z kobietami. Ale czy nie mieliśmy mówić o dzieciach?...

No więc wracamy do tematu. Mam wrażenie, że same się chowały, a to dlatego, że póki były małe, Isabel wszystkim się zajmowała. Chyba już pani mówiłem: zawsze chodziła z jakimś dzieckiem w ramionach, tak jak w dzieciństwie ze szmacianą lalką. Ja bałem się, że mogę dziecko upuścić, ale ona nosiła je, jakby były częścią jej ciała. I dzieciaki nie sprawiały kłopotu. Ona była spokojna i im udzielał się ten spokój. I zajmowała się wszystkim. Kiedy były chore, wzywała lekarza, dawała im lekarstwa i siedziała przy łóżku całymi nocami, i zakładała czerwoną bibułkę na żarówki, kiedy miały odrę, i czytała im bajki. Ona pilnowała szczepień. Nigdy nie miały poważniejszej choroby. Tylko jak to dzieci.

Niech pani nie myśli, że ja nie chciałem być z nimi, albo że się nie martwiłem, kiedy leżały w gorączce. Ale ciężko pracowałem, chcę powiedzieć: rzadko bywałem w domu. Proszę pamiętać, że to były trudne czasy. Nie jestem architektem, teraz to bez znaczenia, bo mam firmę, w której pracują trzej moi synowie, dwaj z nich to architekci, a trzeci jest geodetą, Maíta, i jeszcze parę osób spoza rodziny. Ale w tamtych czasach zacząłem budować domy i letnie wille z pewnym architektem, który tylko firmował budowy i brał pieniądze. Trzeba było dużo pracy i dużo zachodu, żeby jakoś wyżyć, bo na czysto, przy tak ciężkiej pracy, zostawało niewiele. A pieniądze włożone w firmę w pierwszych latach pochodziły od mojego teścia, a ja nie chciałem żyć na kredyt, więc wszystko, co było związane z dziećmi, cała opieka i organizacja życia rodzinnego, należały do Isabel...

Tak, ona zawsze wspierała mnie w pracy i nigdy mnie nie zawiodła. Pod żadnym względem. Kiedy się pobraliśmy, to ona miała pieniądze i ona poprosiła ojca o ziemie położone przy plaży, żebym mógł tam zbudować letnie wille. I nigdy nie powiedziała „moje pieniądze" czy „moja ziemia".

Na początek poprosiła go o kawałek ziemi na letni dom, jako jej posag, a kiedy ojciec oddał go do jej dyspozycji, nie powiedziała mi, że chce mieć dom, tylko że ojciec nam podarował ten teren, i pytała, co według mnie można zrobić na takim kawałku.

Zbudowałem dom dla niej, bo wiedziałem, że chciałaby mieć letni dom nad morzem. Podczas gdy moim ideałem zawsze był dwór z kamienia, ona wolała coś bardziej nowoczesnego, wielkie okna i tarasy. Zbudowałem dom tak, jak chciała i stał się czymś w rodzaju reklamy. Kiedy tylko go ukończyłem, już dwie firmy handlujące nieruchomościami chciały wykupić okoliczne tereny. I wtedy zaczęła się moja walka z tymi firmami, bo chciałem zarabiać pieniądze, ale nie poprzez spekulację ziemią. Chciałem budować domy. Budować samodzielnie i po swojemu. A to nie było łatwe...

Nie skończyłem studiów, bo wtedy miałem zbyt dużo obowiązków na głowie. A kiedy już miałem pieniądze, kiedy mogłem zwrócić teściowi to, co włożył na początku, i zarabiałem wystarczająco dużo, żeby spokojnie patrzyć w przyszłość, wtedy mój najstarszy syn robił dyplom i Maíta też. Już nie było warto.

Tylko Maíta robiła mi o to wymówki przez całe lata. Inni nie. Najstarszy, Francisco, powiedział mi kiedyś: „Oddałbym całe studia za połowę tych pomysłów, które masz w głowie".

To bardzo dobry chłopak, nigdy nie był zazdrosny ani o braci, ani o mnie. Bo czasami słyszy się takie rzeczy, że człowiekowi włos się jeży na głowie: dzieci nienawidzą ojca, bo spycha je w cień, albo matki... ale częściej ojca...

Tak, właśnie „zabić ojca"... Po tym wszystkim, co tu opowiedziałem, może pani myśleć, że mnie coś takiego nie powinno dziwić ani oburzać, ale ja to widzę zupełnie inaczej. Mój ojciec nigdy nie interesował się tym, co ja robię, albo tym, co interesowało moją matkę. Nigdy palcem nie ruszył, żeby uprzyjemnić nam życie, no już o tym mówiłem. A ja robiłem wszystko, żeby moim dzieciom niczego nie brakowało. I nigdy nie wyraziłem się pogardliwie o ich planach ani nie przyszło mi na myśl, żeby urządzać im awantury o złe stopnie. Najstarszy uczył się tyle, ile mógł, a jeśli od czasu do czasu się zabawił, to było naturalne, przecież był młody i potrzebował rozrywki. Ale żeby za to wszystko, co dla nich zrobiłem, nienawidzili mnie albo zazdrościli tego, że mam pomysły, których oni nie mają, to byłoby straszne, niesprawiedliwe...

Mój najstarszy syn jest dobrym architektem pod względem technicznym, ale nie jest... jak by to powiedzieć... nie ma nowatorskich pomysłów. On pierwszy się do tego przyznaje. Pewnego razu chciałem zlecić mu jakiś projekt, bez mojego udziału, żeby na niego nie wpływać. A on mi powiedział, że nie, że jeśli ja to zrobię, wyjdzie lepiej. I wtedy – bez chęci dokuczenia mu, na Boga, przysięgam, że zrobiłem to tylko dlatego, że pomyślałem, że być może podcinam mu skrzydła przez to, że zawsze pierwszy zabieram się do projektu – rzuciłem: „A jak mnie zabraknie, co wtedy zrobisz?". Głupie pytanie, na tym świecie nie ma ludzi niezastąpionych. Tak więc jak tylko je zadałem, natychmiast pożałowałem i spodziewałem się, że mi odpowie: „Jakoś sobie poradzimy", albo coś w tym rodzaju. Ale zamurowało mnie, bo powiedział: „Kiedy ciebie zabraknie, będę tylko powtarzał to, co ty zrobiłeś"...

Nie, nie powiedział tego z rezygnacją ani z urazą. Powiedział to tak, jakby mówił: „dach przecieka" albo „już dojrzewają czereśnie", rozumie pani, jako rzecz zupełnie naturalną, jako nieodwracalny fakt...

Nie można powiedzieć, żeby miał powołanie, ale nikt go nie zmuszał, żeby to studiował. Gdyby nie chciał, mógłby studiować cokolwiek innego.

Maíta mówi, że zamiast architektem równie dobrze mógłby być adwokatem albo weterynarzem i pracowałby z takim samym entuzjazmem, czyli z żadnym. Ona zawsze wyskoczy z czymś takim, jest strasznie nieoględna. Mówi, że on naprawdę lubi w życiu tylko muzykę, a reszta to dla niego wyrobnictwo. Robi swoją robotę, bo jest dobry i pracowity, ale zupełnie go to nie interesuje. Dlatego nie ma ambicji i nie ma w nim zazdrości...

Wie pani, Maíta uważa, że matka uparła się, żeby Francisco został architektem, a ja dałem na to przyzwolenie i nigdy chłopaka nie zachęciłem, żeby robił to, w czym był naprawdę dobry, a dobry był w grze na każdym instrumencie, który mu się nawinął.

Mnie to bardzo odpowiadało, że zostanie architektem, i ucieszyłem się, kiedy w wieku siedemnastu lat powiedział mi o tych planach. Ale chcę pani powiedzieć, że kiedy zobaczyłem, ile wysiłku kosztują go te studia, że nie ma ani świąt, ani wakacji, któregoś dnia wziąłem chłopaka na rozmowę i tłumaczyłem mu, że ja zarabiam na życie, choć nie jestem architektem, i że w jego przypadku też nie ma takiej konieczności. Ale on nawet się nie zastanawiał. Skończył studia, bo tak chciał.

Tak, co do dzieci, to bardzo trudno utrafić. Człowiek ma jak najlepszą wolę i myślę, że to jedyna rzecz, jaka się liczy. Być może, że popchnęliśmy go, by robił coś, do czego nie jest specjalnie uzdolniony. Kiedy Francisco jeszcze gaworzył, kiedy potrafił tylko powiedzieć „tata", „mama" i niewiele więcej, było bardzo zabawne, jak mówił, że chce być „titetem". Isabel pytała go: „A czym to będzie mój dzidziuś, jak dorośnie?" i dziecko odpowiadało: „Titetem"... Oczywiście, dziecko samo by na to nie wpadło, ale od tego do zmuszania jeszcze daleka droga...

Mnie też nikt nie zmuszał. Tylko Maíta mnie zanudzała, mówię pani. I Laura też, na swój sposób. Moja żona, tak samo jak moja matka, nigdy nie powiedziały mi ani słowa. Matka na samym początku, kiedy powstał problem czy mam wyjechać, czy zostać, nawet była skłonna pójść do domu starców, do przytułku, żeby mi nie przeszkadzać w karierze. Ale potem, kiedy już zacząłem pracować, uważała, że jestem najlepszym architektem na świecie, dużo zdolniejszym od tego, który firmował moje projekty, i że już nie potrzebuję w życiu robić niczego więcej. I przestała wspominać o studiowaniu architektury.

Przypuszczam, że Isabel byłaby zadowolona, gdybym miał tytuł. I ja też, tak jak każdy. Szczęścia nigdy za wiele. I były też względy praktyczne. Gdybym skończył architekturę, nie musiałbym płacić komu innemu za podpis i udawanie ważniaka, że opiniuje moje projekty. W tym sensie rozumiem, dlaczego Isabel namawiała syna, żeby skończył studia. Bo wtedy wszystko zostawało w rodzinie. A z jego braćmi to samo się już potoczyło: młody człowiek studiuje, widzi, że jego koledzy kończą studia i nie mają co ze sobą zrobić, wtedy wskakuje na rodzinny wózek. Jeśli spojrzeć z zewnątrz, wydaje się, że sobie to zaprogramowaliśmy: dwóch architektów, geodeta, pani inżynier i adwokat, ale zapewniam panią, że oni sami tak wybrali, bo wiedzieli, że w wieku dwudziestu pięciu lat już będą nieźle zarabiać i będą się mogli uniezależnić albo założyć rodziny, jeśli tak im się spodoba...

Gelo, który też jest architektem, nie komplikuje sobie życia; jest o wiele większym hulaką niż jego brat. Chce po prostu zarabiać pieniądze, a nie szukać problemów. Ideał jego pracy to stworzyć prototyp i sprzedać go w setkach egzemplarzy. Czy zwróciła pani uwagę na przystanki autobusowe z podwójnymi daszkami? To nasz projekt. Wykonaliśmy go, bo on się uparł, i prawda jest taka, że zarobiliśmy na tym o wiele więcej pieniędzy niż na innych dużo poważniejszych projektach.

Ściślej mówiąc, projekt był mój, bo jak już mówiłem, żaden z nich nie jest w tym dobry. Ale to Gelo wymyślił. Mnie nigdy by nie przyszło na myśl, żeby zaprojektować przystanek autobusowy, chociaż setki razy myślałem, że są źle wykonane i że powinno się coś zrobić, żeby ludzie nie mokli zimą, a latem nie prażyli się na słońcu. Ale nie widziałem siebie chodzącego po urzędach, rozumie mnie pani? A Gelo w tym jest świetny. Jako architekt pracuje niewiele, ale zawsze załatwia nowe projekty: kabiny kąpielowe, knajpki na plażę, kioski, stacje benzynowe...

Córki? Tylko Maíta i Mercedes, która jest farmaceutką, miały pociąg do nauki. Pozostałe dwie skończyły szkołę pedagogiczną, bo ich matka chciała, żeby każda z nich była w życiu niezależna, ale nie pracują w zawodzie. Jedna założyła butik, a druga pomaga mężowi, który jest lekarzem. Wszyscy czują się dobrze, i widać, że są zadowoleni i szczęśliwi w swoich rodzinach. Jedyna, która mnie martwi to Maíta, już pani mówiłem, pod tym względem jej się w życiu nie udało. I martwi mnie też, chociaż w innym sensie, Francisco. Czasem widzę, jak gra na gitarze albo na pianinie, które kupił dzieciom i... nie wiem, nie wiem, czy zrobiliśmy dobrze.

Zaczął uczyć się muzyki w wolnych chwilach, kiedy już był dorosły, i skomponował swojej żonie pieśń i nagrał ją na płycie. Jego żona nazywa się Eliza, jak ta od Beethovena, i tej pieśni nadał tytuł *Dla mojej Elizy*. Kiedy ją usłyszałem, łzy zakręciły mi się w oczach i pomyślałem, że, być może nieświadomie, popchnęliśmy go ku czemuś, co nie jest w zgodzie z nim samym. Być może teraz żyje mu się lepiej, to znaczy wygodniej, ma więcej pieniędzy, niż gdyby był muzykiem, ale zastanawiam się, jak ja bym żył, gdybym nie mógł tworzyć domów... Nie jest smutny. Widzę, że jest zadowolony z życia rodzinnego i z zarabianych pieniędzy. Wolne chwile poświęca na słuchanie muzyki; ma specjalny pokój do tego celu, z najlepszą i najbardziej nowoczesną aparaturą. I jak mówiłem, sam gra i komponuje. Ja zawsze widziałem w tym jedynie hobby, a nie pracę czy powołanie. Albo tak chciałem to widzieć, dopóki Maíta mi nie powiedziała. Chociaż, z drugiej strony, w dalszym ciągu widzę w tym rozrywkę. Jak to pani wytłumaczyć? Nie mogłem być architektem, więc zacząłem budować kurniki i garaże, i co tylko mi zlecano, a w końcu robiłem wszystko, co chciałem... Jednym słowem, chcę powiedzieć, że gdyby mój syn naprawdę chciał zostać muzykiem, to by nim został...

Do tego trzeba charakteru, tak. I trzeba też być przyzwyczajonym do walki z przeciwnościami. Tym chłopcom wszystko przyszło zbyt łatwo. To dobrzy chłopcy, ale nie do walki. Jedyna, która sama sobie wykuwała swój los, to była Maíta. Jestem szczęśliwy, że reszta dzieci została tutaj, ale trzeba przyznać, że poza przywiązaniem do nas, tu wszystko było dla nich dużo łatwiejsze, mieli przetartą drogę. Możliwe, że Francisco był przez swoją matkę w jakiś sposób kierowany ku karierze, której ja nie mogłem zrobić, ale wystarczyłoby, żeby powiedział: „Chcę być muzykiem, a nie architektem", a nie zmuszałbym go do robienia czegoś, czego by nie chciał.

Sama pani musi przyznać, że zawód muzyka jest trochę ryzykowny. Możliwe, że na początku kazałbym mu studiować jednocześnie coś bardziej praktycznego, choćby pedagogikę czy języki, przynajmniej żeby się zorientować, czy rzeczywiście ma talent. Ale proszę mi wierzyć, nie walczyłbym z powołaniem syna. A on jednak zmuszał swoje dzieci do gry na pianinie. I to skłania mnie do myślenia, że nie miał prawdziwego powołania, bo ktoś, kto czuje się zmuszany do studiowania czegoś, czego nie lubi, nie będzie popełniał tego błędu w stosunku do własnych dzieci. A on je naprawdę zmuszał. Z trójki dzieci tylko córka gra dobrze, uczy muzyki, a obaj synowie byli przeciągani z klasy do klasy za uszy, nienawidzili pianina, ale syn tak się uparł, że musieli skończyć szkołę muzyczną. Młodszy, po jej ukończeniu, podał ojcu świadectwo ze słowami: „Masz tutaj swój dyplom!". Starszy nic nie powiedział, ale musiał myśleć to samo. Skończyli prawo, starają się o pracę, i o ile wiem, żaden nie wrócił do muzyki. Jedyny, który gra na kupionym dla nich pianinie, to mój syn...

Czy jest sfrustrowany, no, w ścisłym tego słowa znaczeniu, to mi się nie wydaje. To czy ktoś się czuje sfrustrowany, jest bardzo subiektywne, i to, czy ktoś się komuś innemu takim wydaje, również. Laura zawsze we mnie widziała osobę sfrustrowaną, uważała, że nie zdołałem w pełni rozwinąć wszystkich moich możliwości, bo w młodości zabrakło mi podstawy, którą dają studia. I Maíta myśli tak samo, wiem o tym. A jednak Isabel nie. Dla niej tytuł architekta miał znaczenie prestiżowe i finansowo mógłby przynieść mi korzyści, ale nie uważała, że z nim byłbym lepszy niż byłem, bo jak mówiłem, dla niej byłem najlepszy na świecie. A to, że w ciebie wierzą, że nie porównują cię bez przerwy do wzorca najdoskonalszego i niedoścignionego, schlebia próżności, i jest bardzo potrzebne, a nawet konieczne, żeby dobrze wykonywać swoją pracę...

Maíta ze swoją karierą zrobiła, co chciała, jak ze wszystkim. Dlatego, sądzę, tak krótko trwają jej związki...

Tak, dlatego, a także dlatego, że nie ma cierpliwości. Jeśli coś jej się nie podoba, nie odpuści, a to nie jest dobre w stosunkach między dwojgiem ludzi...

Ja nie twierdzę, że to kobieta musi wszystko znosić, proszę mnie dobrze zrozumieć. Mówię, że aby ze sobą żyć, trzeba iść na ustępstwa...

Z Isabel?... Z Isabel nie musiałem iść na żadne ustępstwa. Ona podzielała moje upodobania i nigdy nie krytykowała moich decyzji, i ja też nie miałem nic przeciwko jej postanowieniom. Domem i dziećmi zajmowała się wspaniale...

Kiedy to mówiłem, nie myślałem o Isabel. Myślałem o Laurze.

Laura

Jesteś dla mnie czymś o wiele ważniejszym niż piękne wspomnienie.

Ty byłeś alternatywą mojego życia i jesteś stałym punktem odniesienia.

XV

Moje oczko w głowie?... Nie sądzę, żeby jedno dziecko kochało się więcej, a drugie mniej. Tylko czasami jedno wydaje się słabsze, bardziej potrzebuje opieki, i rodzice robią dla niego więcej, szczególnie matki, ale ojcowie także, chociaż tego tak nie widać. I rodzeństwo zdaje sobie z tego sprawę, rodzi się zazdrość i zaczynają mu dokuczać. Francisco dla wszystkich naszych dzieci był zawsze „mamisynkiem", bo Isabel dużo się nim zajmowała, chociaż był najstarszy. Myślę, że to przez jego zamiłowanie do muzyki, o którym mówiłem. Isabel musiała zdać sobie z tego sprawę wcześniej niż ja, bo ona była z dziećmi zawsze, a ja w tamtych czasach widywałem je tylko wieczorami, kiedy wracałem do domu na kolację, jeśli wracałem, bo często musiałem jeść kolacje z różnymi ludźmi poza domem. Ona na pewno to zauważyła, i nie poparła tych zamiłowań, tylko, no, już opowiadałem o tym, jak dziecko mówiło, że chce być „titetem". I być może, chciała mu to zrekompensować. Swoją drogą Francisco nigdy na nic się nie skarżył, nigdy nie powiedział: „Chciałbym robić to czy tamto". Nigdy nie złościł się na swoją pracę. To nadzwyczajne dziecko. Żadne inne nie może się z nim równać, jeśli chodzi o charakter i uczynność. Ma najlepsze serce ze wszystkich. Tylko się uparł, żeby zmuszać

141

swoje dzieci do gry na pianinie, ale to jeszcze nikomu na złe nie wyszło. Któregoś dnia będą mu za to wdzięczne... Ja?... Pani myśli, że moim oczkiem w głowie jest Maíta... Powiem pani. Nie, żebym kochał ją najbardziej. Ja wszystkie dzieci kocham jednakowo. Ale co innego jest kochać, a co innego się rozumieć.

Z Maítą rozmawiałem o takich sprawach, o których nigdy nie mówiłem z innymi dziećmi, ale dlatego, trzeba przyznać, że to ona zazwyczaj wykazywała inicjatywę; zawsze zadawała pytania bez żadnych ogródek. I zadaje je w taki sposób, że człowiekowi nie zostaje nic innego jak wyjaśnić sytuację. Żadne z dzieci tak nie robi. To też prawda, że z nią, jako z dziewczyną, można łatwiej rozmawiać o niektórych sprawach. Mężczyźni się wstydzą i krępują rozmawiać między sobą o uczuciach. Rozmawiają o przygodach miłosnych albo o seksie. Jeszcze w czasach młodości, w każdym razie w moim pokoleniu, mówiło się kolegom, że podoba ci się ta albo tamta, ale głupio było powiedzieć, że się jest zakochanym... Nawet niektórych spraw, które opowiedziałem pani, mężczyźnie bym nie powiedział. Nie wiem dlaczego, ale tak jest. I z moimi synami nigdy nie rozmawiałem o ich dziewczynach. Oni mi nie opowiadali, a ja nie pytałem. Dziewczęta zwierzały się matce, a kiedy ja je o coś zagadnąłem, odpowiadały wymijająco albo monosylabami. Przypuszczam, że nie kłamały, ale też nigdy nie wdawały się w szczegóły. Kiedy widziałem, że są smutne, mogłem zapytać: „Pokłóciłaś się ze swoim chłopakiem?", a one odpowiadały tylko „tak", i koniec. To Isabel potem mówiła mi, co się działo, dlaczego czasem były w skowronkach, a czasem płakały po kątach. Ale Maíta była inna. Maíta, w młodości, kiedy studiowała w Madrycie, opowiadała o swoich sprawach tylko Laurze. A Laura, jeśli uważała to za stosowne, dzieliła się tym ze mną, przypuszczam, że za zgodą mojej córki. Świetnie się ze sobą rozumiały. Teraz, kiedy dzieci dorosły, więcej ze sobą rozmawiamy. Gdy dzieci zakładają rodziny albo mieszkają oddzielnie, oddalają się od rodziców nie tylko fizycznie. Człowiek zdaje sobie sprawę, że sam schodzi na drugi plan. Chciałem, żeby moja matka nigdy nie czuła się zepchnięta na margines i w tym Isabel bardzo mi pomogła, ale to normalne, że dzieci przestają słuchać twojego zdania, że podejmują decyzje, nie licząc się z tobą wcale albo tylko na tyle, żebyś cię nie obrazić. A potem, kiedy są dorosłe, wracają. Któregoś dnia zdajesz sobie sprawę, że zaczynają ci opowiadać o swoich problemach z dziećmi: a że ciągle balują, a że nie chcą się uczyć, że z nimi nie rozmawiają, że koledzy są dla nich najważniejsi. Albo że się rozwodzą, tylko się, tato, nie przejmuj... Jak to życie kręci się w kółko! Nie wiem, może się łudzę, ale mam wrażenie, że teraz interesuje ich to, co mam im do powiedzenia. Nawet Maíta, która zawsze wszystko wie najlepiej. Choć nigdy nie potraktowała mnie lekceważąco, co to to nie.

Laura twierdziła, że moje dzieci są trochę niedzisiejsze, ze względu na formę, w jakiej się do mnie zwracały. Że z powodzeniem może je sobie wyobrazić, jak mówią do mnie „panie ojcze". Przesadzała, ale to fakt, że moje dzieci nie rozmawiały ze mną tak, jak jej synowie z nią, jakby nie była matką, tylko kumplem w ich wieku. Głównie ten młodszy. Mówił do niej: „Wleczesz się jak ofiara", „No, weź się pospiesz" i tym podobnie. Słyszałem to któregoś dnia podczas tych rzadkich okazji, kiedy przyjeżdżała z dziećmi. Młodszy syn – miał wtedy dwanaście albo trzynaście lat – kiedy wysłała go do domu po piwo, powiedział: „Matka, ale jesteś upierdliwa, kelnera sobie poszukaj!". Nie powiedział tego ze złością, to był miły chłopak, ale do matki tak się nie mówi. Do mnie zwracał się na ty, jakbym był ogrodnikiem. Laura nie widziała w tym nic złego, uważała, że to dowód zaufania. Do ojca, do męża Laury tak się nie odzywali, ale, jak mi mówiła, też mu się nie zwierzali ze swoich kłopotów...

Starszy wydawał się poważniejszy i bardziej milczący. Nie słyszałem jego rozmowy z matką, więc nie wiem, jak ją traktował. W każdym razie okazał się bardziej stateczny niż młodszy: po studiach wyjechał do Stanów Zjednoczonych i podobno świetnie mu się powodzi. A młodszy musiał się ożenić w wieku siedemnastu czy osiemnastu lat, pani sobie wyobraża, bo zrobił jednej dziewczynie dziecko; poznał ją któregoś lata i tego samego lata zaszła w ciążę. I musieli go ożenić, bo ona była nieletnia. Przez to nie mógł studiować i podjął się pierwszej lepszej pracy. To już pani wie od Laury. Ale może pani nie wie, że Laura z początku chciała, żeby dziewczyna usunęła ciążę, ale rodzina dziewczyny ostro się temu sprzeciwiła, a jej syn i sama dziewczyna także. A potem proponowała, żeby chłopak uznał dziecko, ale się nie żenił, i znowu pudło. Oni chcieli się pobrać i rodzina dziewczyny też tego chciała.

Byłem wtedy trochę zły na Laurę, właśnie z powodu Maíty, bo wydawało mi się, że ją buntuje, namawia, żeby robiła, co jej się żywnie podoba, i nie oglądała się ani na mnie, ani na matkę. I dlatego nie przyznałem Laurze racji ani w sprawie aborcji, ani w sprawie uznania dziecka. Powiedziałem, że jej syn musi ponieść konsekwencje swojego postępowania i że nie powinien zostawiać tej dziewczyny samej z dzieckiem...

Teraz... Nie wiem, co pani powiedzieć. Życie jest bardziej skomplikowane niż zasady. Teraz myślę, że Laura miała rację i że najrozsądniej było usunąć ciążę albo

144

uznać dziecko i nie pchać do małżeństwa dwojga niedoro-stków. Wszystko wskazywało na to, że pójdzie im źle. A jednak wyszło im nadspodziewanie dobrze: żyli razem prawie dwadzieścia lat, nie mieli więcej dzieci, a kiedy ich syn dorósł, rozwiedli się, jak mówi Maíta, w bardzo, ale to bardzo przyjacielski sposób. Obydwoje założyli nowe związki, ale dzwonią do siebie i spotykają się, zwierzają ze swych problemów, razem obchodzą święta w domu syna, jednym słowem: żyli długo i szczęśliwie, miód i wino pili...

Nie, ja w to nie wątpię, ale nie rozumiem, jak dwie oso-by, które się tak kochają i rozumieją, mogą się rozwieść. Nie rozumiem, jak można się pobrać, rozwieść i dalej żyć w przyjaźni. Jeśli jedno chce się rozwieść, a drugie nie ma innego wyjścia – musi ustąpić, w porządku. Albo kie-dy zaczynają ze sobą rozmawiać po latach, kiedy już obo-je na nowo ułożą sobie życie. Ale tak, zaraz po rozwiąza-niu małżeństwa, trudno mi uwierzyć...

Postępowanie Maíty zaczynam rozumieć dopiero teraz, kiedy życie wiele mnie nauczyło, ale kiedy Laura mi o tym powiedziała, spadło to na mnie jak grom z jasnego nieba. Chciałem tego, czego chce każdy ojciec: żeby wy-szła za jakiegoś dobrego chłopaka i założyła rodzinę, tak jak my, jak jej siostry, taką normalną, a nie włóczyła się po Madrycie.

On nie był złym chłopakiem, ale mnie podpadł od po-czątku, bo spał z moją córką. Moi synowi mogli spać z kim chcieli, żeby tylko nie zrobili takiego głupstwa jak syn Laury, ale z dziewczętami to inna sprawa, i moja Maíta!... Widzi pani, trzeba wczuć się w sytuację ojca. Mężczyzna od wczesnych lat wie, co mężczyźni myślą i mówią na temat kobiet, i co z nimi robią, kiedy ich się nie pilnuje. Dziewczęta tego nie wiedzą, bo przy nich mężczyźni udają, nie rozmawiają w ten sposób. I czasem są zaślepione. Ale czy pani nie sądzi, że one przed ślubem powinny wyczuć, którzy mężczyźni źle traktują kobiety? A dziewczyny tego nie wyczuwają, a jeśli wyczują, to sądzą, że im coś takiego się nie przytrafi, że każdego mogą wychować. I ja wyobrażałem sobie moją córkę w rękach takiego brutala, bezczelnego, bez ciena wstydu, i dostawałem szału. Gwałcicieli to bym wsadzał do więzienia, ażeby tam zgnili, albo bym ich kastrował, a tych, co maltretują żony, tak samo. Gdyby którejś z moich córek przytrafiło się coś takiego, to ja takiego faceta częstuję dwiema kulkami po jajach i jest gotowy...

To samo mówi Maíta: no pięknie, dziewczyna nie dość że zgwałcona albo bita, to jeszcze ma ojca w więzieniu. Ale ja bym sobie jakoś tak ułożył życie, żeby mi tam nie było najgorzej i żebym mógł szybko wyjść. Mam to przemyślane: jeśli ktoś dotknie mojej córki albo wnuczki, zabiję go. No, na szczęście nic takiego się nie zdarzyło i chłopak Maíty okazał się wspaniałym człowiekiem, który wytrzymał z moją córką wiele lat, a niech pani nie myśli, że z tą moją córeczką tak łatwo wytrzymać...

Z początku wszystko wydawało mi się podejrzane. Laura mi opowiadała, że ten chłopak zerwał z rodzinną tradycją, która nakazywała robić karierę prawniczą. Jego ród, wielce zasłużony, od osiemnastego wieku kultywował tradycje prawnicze i młody człowiek siłą rzeczy musiał studiować prawo. I on je skończył, ale nie podjął pracy w zawodzie. W tym samym czasie na własną rękę studiował literaturę i pracował jako wykładowca, początkowo w liceum, a potem na uniwersytecie. I do tego wszystkiego związał się z moją córką, a ona przecież nie jest szlachetnie urodzona. Jego rodzina traktowała go jak syna marnotrawnego, który lada dzień wróci głodny i skruszony do rodzinnego domu. Laura przedstawiała to wszystko jako argument przemawiający za chłopakiem, ale mnie to nie przekonywało, i kiedy Maíta zaczęła mi o nim opowiadać, miałem takie samo zdanie, jak jego rodzina...

A zaczęła opowiadać, bo zjawiłem się w Madrycie i zażądałem wyjaśnień; musiała już być uprzedzona i nastawiona przez Laurę, bo nie rzuciła się na mnie jak zwykle, kiedy to nie słucha, co się do niej mówi, tylko krzyczy, że już jest dużą dziewczynką i wie, co robi, i takie tam rzeczy. Nie, tym razem zaczęła mi wszystko dokładnie tłumaczyć, a ja z początku, tak jak pani mówię, myślałem, że to paniczyk z dobrego domu, który po dwóch, trzech latach przyjdzie po rozum do głowy i wróci do prawniczego zawodu, będzie zarabiał mnóstwo pieniędzy i piastował prestiżowy urząd. Ale tak się nie stało i chłopak wytrwał przy swoim. Maíta mówi, że żyje skromnie, ale lubi to, co robi, i to mu wystarcza. I stąd, z tego związku, pochodzi zamiłowanie mojej córki do lektury. On jej poleca książki, a Maíta potem mnie daje do czytania te, które najbardziej jej się podobały...

Zerwali z głupoty... z naiwności, z braku znajomości życia. Zdecydowali, że zanim zaczną wspólnie mieszkać i założą rodzinę, powinni mieć jakieś inne doświadczenia. Dać sobie czas na wolność. Maíta pojechała do Stanów Zjednoczonych robić *master*. Wyjeżdżała na niepełny rok, ale zdobyła stypendium i została dwa lata. Córka zawsze przywiązywała wielką wagę do swojej pracy i nie przepuściłaby takiej okazji. A po powrocie nie wiem, co się stało. On musiał być urażony jej postępowaniem, a ona nie miała zwyczaju łagodzić sytuacji. Jej szło w pracy coraz lepiej, jest kompetentna i w jakiejś mierze ambitna. A on zawsze chciał tylko czytać książki i wykładać. Ma skromne stanowisko na uniwersytecie. I jestem pewien, że Maíta z tego powodu ciosała mu kołki na głowie, tak jak mnie...

Przy niej i przy Laurze zawsze miałem poczucie, że nie zaszedłem tak daleko, jak powinienem zajść. I to jest bardzo krępujące. Odnosiłem wrażenie, że obie mają mi za złe, że czegoś nie zrobiłem, nie mogłem zrobić albo nie chciałem, i czułem – jakby tu pani powiedzieć – że poprzeczka jest dla mnie ustawiona za wysoko, że nigdy, choćbym nie wiem jak się starał, nie zdołam jej przeskoczyć, rozumie pani? Że wszystko, co osiągam, nie dorównuje temu, co mógłbym osiągnąć, gdybym zrobił to, czego one ode mnie wymagały; w moim przypadku są to studia na architekturze, a w przypadku tego chłopaka katedra uniwersytecka. No cóż, to tylko moje przypuszczenia, gdyż znam moją córkę i wiem, do jakiego stopnia potrafi być wymagająca. W każdym razie wkrótce po jej powrocie ze Stanów każde poszło w swoją stronę. Ona dwa razy wyszła za mąż, dwa krótkie małżeństwa, oba nieudane, a on ożenił się, ma dzieci i pozostaje w swoim związku. A z Maítą, ja tam nie wiem, ponoć są, jak ona mówi, przyjaciółmi. Takie jest życie mojej córki i już nie powinienem wracać do tego tematu.

Opowiadała pani?... Stara przyjaźń z łóżkiem włącznie. I problem sumienia. No, proszę! Maíta czasem sili się na cynizm. Mnie tego nie powiedziała tak bezpardonowo. I chyba to się odnosi do niego, nie sądzę, żeby w grę wchodził jakiś inny mężczyzna. Ale ten związek, to coś więcej niż stara przyjaźń z łóżkiem włącznie; moja córka oszukuje samą siebie albo kłamie. Nie wtedy, kiedy mówi, że on nie może zostawić żony, bo nie pozwala mu na to sumienie. W to ja wierzę. Ktoś, kto przez wierność swemu powołaniu zrywa z rodziną, porzuca korzyści i wygody przetartej drogi, wydaje mi się człowiekiem godnym zaufania. Zresztą, ja myślę tak samo. Nie zostawiłbym Isabel za nic w świecie. Czułbym się jak kanalia, skrzyw-

148

dziłbym kogoś, kto całe życie był dla mnie dobry, kto mi pomagał i był przy mnie w trudnych chwilach. Jaki to byłby przykład dla dzieci? Jak mógłbym usprawiedliwić takie porzucenie? Nie potrafiłbym spojrzeć im w twarz ani popatrzeć na siebie w lustrze. Są rzeczy, których prawdziwy mężczyzna nie może robić. Jeśli się pomyliłeś albo zmęczyłeś, albo spodobała ci się inna, trudno. Sprawy nie pójdą za daleko, jeśli tego nie chcesz i zastosujesz środki, żeby temu zapobiec...

Nauczycielka nie ma nic wspólnego z tym, o czym mówimy! Isabel o niej nie wiedziała, nawet nie podejrzewała, bo ja nigdy nie dałem jej po temu powodów, zresztą nigdy nie było mowy, żeby Marisa miała być kim innym, niż w rzeczywistości była. Co to ma wspólnego z zerwaniem małżeństwa i porzuceniem żony?...

Nie denerwuję się, tylko odnoszę wrażenie, że pani nie chce zrozumieć. Ten mężczyzna, przyjaciel mojej córki, nie ma sumienia zostawić żony, bo ona go potrzebuje, potrzebuje tak bardzo, że zgadza się, by miał kochankę, byle tylko nie stracić go na zawsze. Maíta nie zniosłaby takiej sytuacji. Ona jest bardzo twarda, zdolna trzymać fason, choćby była rozdarta w środku, i nigdy nie powiedziałaby mężczyźnie: „Jak mnie porzucisz, zabiję się, zostań ze mną, bo nie mogę bez ciebie żyć"... Ale są kobiety – i mężczyźni także! – co potrafią błagać, czołgać się, zgadzać na wszystko, żeby tylko ich nie porzucono. Ja nie mogę, jestem taki sam jak Maíta, choćbym umarł z żalu, nie będę błagał, bo potrzebuję, żeby mnie kochano dla mnie samego, a nie z litości. Ale proszę dobrze zrozumieć, wiem, co czują ludzie, którzy błagają. Nie ci, którzy grożą, groźba wydaje mi się godna potępienia, ale błaganie nie, bo ten, kto porzuca, powinien wiedzieć, jaką krzywdę wyrządza, co ona oznacza dla drugiej osoby. Choć nigdy nie potrafiłem błagać, rozumiem tych, co to robią,

149

i sądzę, że mężczyźnie po wielu latach współżycia z kobietą, która kocha go w ten sposób, sumienie nie pozwoli jej porzucić. Myślę, że moja córka też to rozumie, dlatego wciąż jest z nim i nie zmusza go, żeby porzucił żonę. A jej cynizm to forma obrony. Dla niej, i na pewno dla niego także, ten związek jest czymś więcej niż starą przyjaźnią z łóżkiem włącznie. Ja myślę, że ci dwoje naprawdę się kochają, zawsze się kochali, chociaż są tak różni. Tylko że życie jest takie parszywe, czasem coś chlapniesz i już nie ma odwrotu. Teraz każde jest uwikłane w konsekwencje swoich czynów i szarpią się, bo nic innego nie mogą zrobić.

Pani zawsze ze swoim komentarzem... Mówimy o mojej córce, a nie o Laurze i o mnie. Wszystko pani przekręca. Sto razy mówiłem, że byłem szczęśliwy z moją żoną i że nie zamieniłbym jej za nic na świecie...

No więc jeśli tego nie mówiłem, to teraz mówię: tak, byłem szczęśliwy z Isabel. Życie z nią było przyjemne, wesołe i łatwe. Pomagała mi, zajmowała się wszystkim, nie kłóciła się z moją matką, opiekowała się dziećmi, pozwalała mi spokojnie pracować, miała do mnie zaufanie. I kochała mnie takim, jakim jestem, i podziwiała mnie. Niech pani zapamięta to raz na zawsze: kochałem moją żonę i byłem z nią szczęśliwy.

A teraz proszę mnie zostawić. Jestem zmęczony.

Laura

Zapytał: „Jesteś w nim zakochana?"...

Przywołuję na pamięć te wspomnienia i zaczynam rozumieć sprawy, które wtedy zaledwie intuicyjnie przeczuwałam. Stał tam, przede mną, oczekując odpowiedzi, która miała zadecydować o naszych losach. W jego twarzy, w sposobie patrzenia na mnie, w opuszczonych ramionach, zaciśniętych dłoniach, stopach mocno opartych na ziemi, można było wyczytać całą jego przeszłość, ale także możliwą przyszłość.

Chłopak z biednej rodziny, który poszedł do szkoły dzięki cudzej pomocy, przyjaciel, który osłaniał mnie swoim ciałem przed wściekłym psem, i chwytał dla mnie szczygły i słowiki, partner, z którym odkryłam cielesną rozkosz... Wreszcie mężczyzna, którym jeszcze nie był, ale na jakiego się zapowiadał. Może na takiego, jakim jest dzisiaj, choć myślę, że jednak nie, że na kogoś bardziej zbuntowanego, mniej wygodnie dopasowanego do swego otoczenia...

Gdybyś widział, jak on na mnie patrzył! Ile pragnienia, ile pasji było w jego oczach!

Powiedziałam, że tak, i poczułam bezbrzeżny żal.

Żal mi było jego, mnie, nas wszystkich, bo właśnie w tym momencie po raz pierwszy przeczułam coś, co potem potwierdził czas: że świat jest źle urządzony, że życie jest okrutną grą, w której wszyscy przegrywamy.

XVI

Ta kobieta, ta pisarka, ubzdurała sobie, że ja jestem synem Casteda, i że twój starszy syn to moje dziecko. Nie mówi tego wyraźnie, ale po pytaniach, jakie zadaje, można wyczuć, że tak myśli, i moje tłumaczenia jej nie przekonują. I uważa też, że my z Isabel nakłoniliśmy synów, żeby studiowali to, co mnie odpowiadało... Jakby to było takie łatwe! Nie będę zaprzeczał, że starszego Isabel trochę nakierowała, ale reszta, gdzie tam... Najbardziej chciałbym mieć w rodzinie lekarza i widzisz, ośmioro dzieci i nic, wnuki też nie były zainteresowane; mam zięcia lekarza, ale on jest ginekologiem.

Każdego z nich pytałem, czy nie chce studiować medycyny, ale wszyscy patrzyli na mnie, jakbym im proponował, żeby zostali strażakami. Ja jednak myślę, że to dobry zawód, wymagający sporo wyrzeczeń, jeżeli chce się zostać na wsi, ale rekompensatą jest ludzki szacunek i to, że można zrobić dużo dobrego, jak don Benjamín. Gdybym nie budował domów, chciałbym być lekarzem, internistą, bo oni wydają mi się prawdziwymi lekarzami, wiedzą wszystko. Tak jak twój starszy syn... Jakie to są przypadki w życiu. Na szczęście nie powiedziałem o tym pisarce. Tylko tego brakowało, żeby ją do końca przekonać, że on jest mój.

Taką rzecz byś mi powiedziała... Czy nie?... Być może sama nie wiesz, po co się nad tym zastanawiać i komu to teraz potrzebne.

On nie przyjechał z twoimi prochami. Może jest zły, że ja zostałem w majątku. Pewnie ma pieniądze, w Stanach lekarze dobrze zarabiają, i chciałby zachować rodowe siedlisko swoich przodków. A może spieszył się do rodziny i do pracy, kto wie. Zdziwiło mnie, że nie przyjechał, w końcu to był twój pogrzeb, wprawdzie dość ekstrawagancki, ale życzenia matki trzeba spełniać, choćby to były dziwactwa albo zachcianki.

Moja matka w ostatnim okresie wyznała, że bardzo źle by się czuła, leżąc na cmentarzu w niszy, wśród innych nisz, wsunięta jak pudło z butami w sklepie obuwniczym. Nie wiesz, ile mnie kosztowało zdobycie grobu ziemnego. Nie chodziło o pieniądze, po prostu nie było miejsca. W końcu odkupiłem grób tego bogacza, co wrócił z Ameryki Południowej, pamiętasz?... ten ogrodzony. Odnalazłem spadkobierców, jakichś bardzo dalekich krewnych, którzy nawet nie pamiętali o tym grobie, i sprzedali mi go za niebotyczną sumę. Nie wyobrażasz sobie, jak moja matka się cieszyła, to trudno zrozumieć, chociaż ty, która się uparłaś, żeby leżeć tutaj, kiedy masz wspaniały grobowiec, rozumiesz to lepiej niż ja. Mnie tam wszystko jedno, gdzie złożą moje kości.

Chociaż, żeby być szczerym, było mi wszystko jedno. Teraz, kiedy to się zbliża, już nie jest mi obojętne. Spędziłem życie na budowaniu pięknych i wygodnych domów do życia, i na koniec nie pójdę leżeć do jakiejś dziury w ścianie. Jeśli o mnie chodzi, palcem bym nie kiwnął, żeby zamieniać na co innego niszę, gdzie leży ojciec, ale teraz się cieszę z kaprysu matki. Z początku było mi trochę głupio, bo to wyglądało na typowe dla nuworyszów, którym nie wystarcza zbudowanie domu, jeszcze chcą zbudować sobie pomnik na cmentarzu. Ale ona miała rację: będzie tam przebywać dłużej niż w jakimkolwiek innym miejscu, tak mi mówiła. I żebym jej postawił przed grobem kamienną ławkę, to będę mógł usiąść, kiedy przyjdę ją odwiedzić, i nie będę stał jak na wizycie, gdzie gościom się spieszy. Zrobiłem, jak prosiła, i wyszło dobrze. Matka była osobą subtelną, z dobrym gustem... Skąd to miała? Wyniosła z domu Castedów? A może wzięli ją na służbę, bo zwrócili uwagę na jej schludny wygląd? Skąd się biorą gusta, skłonności, obsesje? Skąd u mnie to powołanie do budowania domów? A u twojego syna do leczenia ludzi?...

Pisarka powiedziałaby, że u mnie z Castedów; u twojego syna ze mnie. Tylko z Maítą coś jej się nie zgadza. Co do niej, chociaż przypomina ciebie, nie może wątpić, że jest córką swojej matki, która nieźle się namęczyła, żeby ją urodzić, bo ona już wtedy była zbuntowana.

Opowiadałem jej, że przysyła mi wiersze, ten, który recytował twój ojciec o jasnym świetliku i inne, które czyta i jej się podobają. Zapytała, czy to też pochodzi od ciebie. Powiedziałem jej to, co myślę. Że napisałaś tę książkę dla dzieci z bajkami, które wymyślał dla ciebie ojciec, ale że literatura nie pociągała cię bardziej niż malarstwo czy muzyka. Ciebie interesowała kultura jako całość, i sztuka. Po ślubie nigdy już nie mówiłaś o literaturze, chociaż czasem przywoziłaś mi w prezencie książki z dziedziny malarstwa czy architektury.

Maíta to zamiłowanie do czytania ma chyba od tego pierwszego narzeczonego, z którym teraz znowu jest. On, jak wiesz, jest żonaty. Kiedy Maíta przyjechała, żeby powiedzieć mi o tej pisarce, co ona zamierza zrobić, i że to jej przyjaciółka, mimochodem wspomniała o swojej sytuacji. Dowiaduję się o wszystkim ostatni, jak zawsze. Myślę, że jej brakuje ciebie, potrzebuje kogoś, komu mogłaby się zwierzyć, tak mi się wydaje, chociaż tego nie mówi, a ja staram się jej słuchać i nie powiedzieć niczego, co mogłoby ją zranić. Ale prawdę mówiąc, wygląda mi to na smutną historię, z której ona na dłuższą metę wyjdzie najbardziej pokiereszowana. Wpakowała się w sytuację, gdzie nie ma łatwego rozwiązania, chociaż zauważyłem, że jest bardziej zadowolona, a przede wszystkim spokojniejsza niż przedtem. Zresztą tobie może wydawać się w porządku, że Maíta żyje z żonatym mężczyzną. Ty akceptowałaś wszystko, co Maíta robiła, to naturalne, mówiłaś. Sprawiłaś mi wielką przykrość, kiedy rzuciłaś ot tak sobie, że Maíta śpi z tym facetem. Dziewczyny nie czekają na ślub, żeby przespać się ze swoim chłopakiem, mówiłaś. Tak może jest w Madrycie, zresztą Maíta nie była jakąś tam dziewczyną, tylko moją córką, nie miała nawet dwudziestu lat, poza tym nie wydaje mi się, żeby wszystkie tak robiły, ani wtedy, ani teraz, ale ty zawsze byłaś bardzo nowoczesna. Nie chcę powiedzieć, że ją do tego popychałaś, ale miałaś na nią tak wielki wpływ, Lauro! I nie wiem, czy to jej zawsze wychodziło na dobre.

Pisarka nie powiedziała mi, co Maíta opowiadała jej o nas. Dziwi ją, że tak jest do ciebie podobna, nawet fizycznie. A że nie może stwierdzić, że ona nie jest córką swojej matki, wciąż tylko krąży wokół tego tematu. Zapytała: „Jak pan sądzi, dlaczego jest tak podobna do Laury?"... Widać było do czego zmierza, ale ja wymigałem się, powiedziałem, że być może cię naśladuje. Ja jestem z Galicii i mnie ta pani nie przechytrzy. Zresztą, możliwe że to prawda: od dzieciństwa cię podziwiała. Kiedy przychodziłaś, zawsze przynosiłaś dla niej coś specjalnego. Powiedziałaś, że jesteś jej adoptowaną matką chrzestną i ona była tym zachwycona. A potem na pewno zaczęła cię naśladować, a kiedy wyjechała do Madrytu, byłaś tą osobą, z którą mogła rozmawiać. Tak musiało być. Ludzie, którzy często ze sobą przebywają, upodabniają się do siebie nawet fizycznie, w gestach, w sposobie mówienia, tak że ich rysy też wydają się podobne.

Isabel wierzyła, że to, co robi kobieta w ciąży, wpływa na dziecko. Dla mnie to przesądy. Nie mówię o paleniu albo piciu, ale o takich rzeczach, jak słuchanie muzyki czy wpatrywanie się w czyjeś zdjęcie, żeby dziecko urodziło się do tego kogoś podobne. To tak, jak z zachciankami. Ja w to nie wierzę, ale czasem zdarzają się takie rzeczy, że człowiek zaczyna wątpić. Jeden z moich wnuków ma na pośladku plamki, które wyglądają jak garstka czereśni, tak, jakby były namalowane, a okazuje się, że jego matce pewnego listopadowego wieczoru, kiedy była już w szóstym czy siódmym miesiącu ciąży, zachciało się czereśni, da pani wiarę? To żona Moncha, dziewczyna z wyższym wykształceniem, więc zdawała sobie sprawę, że listopad to nie pora czereśni, ale mówi, że naszła ją jakaś dziwna chętka, apetyt, jakiego nie czuła na myśl o żadnym innym jedzeniu. Moncho zadzwonił do Isabel, czy nie ma jakichś czereśni; ona zazwyczaj owoce pasteryzuje albo robi z nich dżemy, ale jego żonie zależało na świeżych owocach. Myślę, że syna przestraszyła taka zachcianka i dlatego zadzwonił do matki. A ona mu powiedziała: „Niech położy rękę na pośladku, bo inaczej dziecko będzie miało plamy na twarzy". I widzi pani, znamię na pupie małego wygląda na kalkomanię, nawet kolor ma czerwony, jak czereśnie. Więc to, co człowiek myśli albo czuje, musi mieć jakieś znaczenie.

Myślałem o tobie, Lauro, przecież wiesz. Wiele razy myślałem. Nie wtedy, kiedy byłem z Isabel w łóżku, to nie, Isabel podobała mi się, kochałem ją... Chociaż może

157

czasami... Przez głowę, jak błyskawice, przebiegały mi obrazy tamtego wieczoru w spichlerzu... błyski słońca na twoim ciele... Ale to nie mogło mieć wpływu. To, co mężczyzna myśli, kiedy ma stosunek z kobietą, nie może mieć wpływu na dziecko. To niemożliwe. Gdyby tak było, jak mało dzieci przypominałoby swoje matki! Albo swoich ojców. Bo na pewno wy, kobiety, też myślicie o czymś innym. A kobieta musi być bardziej podatna na takie wpływy, w końcu ona nosi to w sobie przez dziewięć miesięcy.

A ty myślałaś o mnie? Powiedziałaś mi, że ze mną było ci lepiej niż z twoim mężem. Pomimo że miałem tak mało doświadczenia, Lauro, bo ja wtedy niewiele o tych sprawach wiedziałem. Doświadczenia nabrałem przy Marisie, tej nauczycielce, ona mnie wyedukowała i całe życie byłem jej za to wdzięczny.

Pisarka zapytała mnie, czy miałem do czynienia z kobietami po śmierci Isabel. Próbowałem ją zbyć, ale ona nadal naciskała; kiedy coś ją interesuje, drąży temat do upadłego. W końcu prawie się pokłóciliśmy. Chyba byłem zbyt obcesowy w stosunku do niej, ale ona wyprowadza mnie z równowagi, bo zawsze wywraca kota ogonem.

Ty jej musiałaś czegoś naopowiadać. I w ogóle nie wiem, po co jej to potrzebne. Myślałem, że będziemy rozmawiać o tobie, przynajmniej Maíta tak mi powiedziała, że ona chce uzupełnić to, co napisała na twój temat, i poznać mój punkt widzenia. I w tym widziałem jakąś logikę, gdyż ty przedstawiłaś jej sprawy na swój sposób, więc chciała poznać inne opinie, ale tak czy inaczej, trochę to wszystko dziwne, bo, nie obraź się, Lauro, ale ty nie jesteś ani madame Curie, ani Rosalią de Castro, ani Bellą Otero; chcę powiedzieć żadną sławną osobą, rozumiesz, co chcę powiedzieć? – i nie wiem, skąd tyle zainteresowania dla twojego życia, i przy okazji dla mojego.

158

Chociaż z drugiej strony każde ludzkie życie jest interesujące i można się z niego wiele nauczyć, tak więc i z twojego, i mojego, i z życia twojego i mojego ojca, z czyjegokolwiek. Jako że ona stawia tyle pytań, więc ją też zapytałem, czy właśnie o to jej chodzi, i odpowiedziała mi, że nie chodzi jej o nic konkretnego, że interesuje ją życie i to, jak ludzie je przeżywają. I powiedziała, że chociaż dwie osoby przeżywają te same zdarzenia, odczuwają je i rozumieją zupełnie inaczej, i to właśnie ją ciekawi. Wykręciła się sianem, ja też tak robię, kiedy nie mam ochoty odpowiadać, ale wydaje mi się, że ona szuka tego samego, czego ja chciałbym się dowiedzieć.

Pamiętasz, mówiłaś, że zakonnicy w klasztorze nie można powiedzieć, że nie ma życia wiecznego. Ja też tak uważam. Gdyby taka zakonnica z klauzury zaczęła myśleć, że życie kończy się ze śmiercią i że jedynym życiem jest to, które ona spędziła zamknięta w murach klasztornych, z niczego nie korzystając, odmawiając sobie najprostszych przyjemności, czy mogłaby to przyjąć? Czy mogłaby zaakceptować, że taka myśl nie jest podszeptem diabła tylko najbardziej racjonalną możliwością?

Kiedy z nią o tym rozmawiałem, pisarka powiedziała, że niektóre, bardzo nieliczne osoby, potrafią przyznać się do pomyłki, do błędu, przy którym tkwiły wiele lat i który zaważył na całym ich życiu, ale prawie nikt nie jest w stanie tego znieść i że to jest przyczyną wielu samobójstw.

Nawet w przypadku nawrócenia się na wiarę, która daje nadzieję na życie wieczne, poczucie winy za wcześniejszy błąd, który człowiek sobie przypisuje, jest silniejsze niż radość, jaka powinna towarzyszyć odkryciu prawdy, i doprowadza do przesadnej pokuty. A w innym wypadku, kiedy człowiek widzi, że zmarnował życie i że już nie ma możliwości niczego cofnąć, ból rozpaczy jest tak wielki, że rzadko kto daje sobie z nim radę.

Tak mi powiedziała i myślę że ma rację, i to dlatego nikt nie chce przyznać się do wielkich błędów, wielkich omyłek. Dlatego ludzie uparcie trzymają się raz obranej drogi. Kiedy w ciągu całego życia wierzyłeś w coś, co nadaje temu życiu sens, co wpływa na twój sposób bycia, nie możesz się zmienić. Nie możesz uznać, że się pomyliłeś, bo to – jeśli nie ma czasu na odmianę losu – doprowadziłoby cię do szaleństwa albo do samobójstwa. Albo pozwoliłoby ci umrzeć...

Lauro, czy ty...?

Powiedziałem pisarce tak: uważam, że ty podejmując tamtą pierwszą decyzję postawiłaś tak wiele, że potem już nie miałaś odwrotu.

Na początku tak, na samym początku miałaś. Może byłaś zbyt dumna, nie chciałaś przyznać się przed twoimi bliskimi i przede mną, że się pomyliłaś. Albo też za długo zwlekałaś, by to sobie uświadomić, i czułaś, że już jest za późno. Ale nie było; i jeszcze dłuższy czas nie było za późno.

Jeszcze kiedy przyjechałaś, żeby posadzić magnolię, powiedziałem: „Zostań". Isabel już nie żyła, a po tobie było wyraźnie widać, że nie jesteś szczęśliwa. Miałaś pięćdziesiąt lat. Moglibyśmy żyć razem ponad dwadzieścia. Ile czasu spędzilibyśmy na rozmowach, Lauro! I jak ja bym cię kochał! Miałem wtedy dużo sił i zapału, i więcej doświadczenia. Moglibyśmy cieszyć się życiem jak dwoje szaleńców, zapewniam cię... Ale ty nie chciałaś.

A potem było już za późno. Po śmierci Fernanda czułbym się, jakbym zbierał resztki z pańskiego stołu, jakbym był wyciągnięty z lamusa. Może to duma, ale chyba zrozumiała dla każdego. Za jego życia jeszcze mógłbym sądzić, że chcesz wszystko naprawić, że choć późno, ale wybierasz mnie. Ale potem, nie. To byłoby przyznanie, że zawsze wolałaś jego, pomimo że cię oszukiwał i że była w jego życiu inna kobieta, nie wiem, jak mogłaś to znosić. „Szymon Cyrenajczyk" powiedziałeś o tej młodej dziewczynie, niegdyś jego uczennicy, która była gotowa tak jak ty poświęcić mu życie. A więc była kimś, kto pomagał ci dźwigać ten ciężar, zdaje się, że to chciałaś powiedzieć. Dlaczego go wtedy nie zostawiłaś? Bo ciebie również potrzebował, powiedziałaś pisarce, potrzebował was obydwu, niech nie pieprzy, to lepiej już harem, żeby był zadowolony...

Nie można do tego porównywać mojej historii z Marisą. Łączyła nas raczej przyjaźń niż cokolwiek innego. O, właśnie, to była stara przyjaźń z łóżkiem włącznie, a nie tamto, o czym mówiła Maíta. Od pierwszych momentów, kiedy jeszcze byłem taki młody, zachowaliśmy dla siebie sentyment. I kiedy musiałem pojechać do Vigo w jakichś interesach, dzwoniłem do niej, jedliśmy razem kolację i zostawałem u niej na noc. Ona nigdy nie wyszła za mąż. Mówiła, że nie pociąga ją małżeństwo, a co do dzieci, to ma ich dosyć w szkole. Po śmierci Isabel spotykaliśmy się częściej, bo już nie mogła być przyczyną niczyich cierpień ani też nie było powodu, żeby się ukrywać. I ty opowiedziałaś o niej Maície, a Maíta pisarce.

Musiałaś to być ty, bo nie przypuszczam, żeby ktoś inny się odważył ani nawet żeby o tym wiedział. Kiedy żyła Isabel, nigdy nie wychodziliśmy razem. Szedłem do jej domu i wychodziłem od niej sam. Nie chciałem, żeby Isabel cierpiała przez coś, co nie było niczym takim, przez co musiałaby cierpieć. Marisa była przyjaciółką, z którą rozmawiałem i z którą szedłem do łóżka, ale to nigdy nie zakłóciło mojego małżeństwa. Raz, kiedy przyjechałaś, zapytałaś mnie: „W dalszym ciągu widujesz się z nauczycielką?" a ja, jak głupi, powiedziałem ci prawdę: „Czasami", a ty zaraz musiałaś to rozpowiedzieć. Maíta zastrzeliła mnie tym niespodziewanie, jak to ona. To było po śmierci twojego męża, kiedy mi zaproponowała, żeby zaprosić cię na jakiś czas do dworu, byś mogła dojść do siebie. Wtedy nie miałem ochoty się z tobą widzieć. Moje życie było zorganizowane i nie chciałem, żebyś mi je znowu zaburzyła... Zresztą, nie chcę teraz o tym mówić. Ale wracając do tematu: powiedziałem Maície, żeby przyjechała tu razem z tobą, a ja wyjechałbym na urlop, w jakąś podróż. I Maíta wypaliła: „Z nauczycielką?".

Może ty wiesz, kto mógł o tym powiedzieć mojej córce?... Zresztą, to wszystko już nie ma znaczenia, ale ta kobieta zadaje mi pytania, ożywia przeszłość i zmusza do myślenia o sprawach, nad którymi się dotąd nie zastanawiałem. Na przykład pomyślałem, że zawsze byłem manipulowany przez was, kobiety; pierwszą była moja matka... Manipulowany to nie najlepsze słowo. Chcę przez to powiedzieć, że w dzieciństwie i wczesnej młodości żyłem w cieniu dwóch kobiet, na ich orbicie: to była moja matka i ty. Decyzja pozostania tutaj uwarunkowała całe moje życie, moją pracę, a zostałem tu dla matki. Ty wyjechałaś, wyszłaś za mąż i wszystko się dla mnie zawaliło. Nie miałem innego wyjścia. Ja też się ożeniłem i od tej pory moje życie skupiało się wokół Isabel, aż do czasu jej śmieri.

Nawet jeżeli chodzi o seks, w moim przypadku to kobiety przejmowały inicjatywę. Czasem mężczyźni w rozmowach między sobą mówią o zdobyczach, o tym, jak potrafili dobrać się do dziewczyn, które początkowo im się opierały. Ja nigdy żadnej nie zdobyłem ani żadnej nie wziąłem, jeśli sama tego nie chciała. Nie wiem, czy jestem dziwakiem, czy inni w gruncie rzeczy są do mnie podobni, tylko łudzą się, że to oni zdobywają. Chyba nigdy nie zrobiłem pierwszego kroku. Dopiero przy Isabel, ale tu też, kiedy się o nią starałem, już byłem pewien, że jej się podobam, po tym, jak na mnie patrzyła, po sposobie, w jaki ze mną rozmawiała, kiedy się przypadkiem spotykaliśmy. Ale w naszych stosunkach to ja wykazywałem inicjatywę i to mi się podobało. Chociaż sytuacja odwrotna też mi odpowiadała. Podobało mi się, kiedy Marisa zaciągnęła mnie do łóżka, i kiedy ty pierwsza zaczęłaś mnie całować... Ale z tobą to zawsze jest osobna historia: podobało mi się, a jednocześnie drażniło. Pod tym względem my, mężczyźni, jesteśmy dziwni. Kiedy Marisa stąd wyjechała, pierwszy raz pojechałem do niej właściwie po to, by jej pokazać, że ja też umiem wykazać inicjatywę: wybrałem się w podróż, a pieniędzy wtedy miałem bardzo mało. Było to w czasie choroby ojca i wszystko szło na zabiegi. Mimo to zaoszczędziłem trochę peset, pojechałem autobusem do Bretemy, a stamtąd następnym do tej wsi w prowincji Ourense, gdzie ona uczyła. Znałem jej adres, bo przysłała mi pocztówkę. I zjawiłem się u niej bez zapowiadania. Na szczęście ten pomysł jej się spodobał. Wyjechałem z domu wczesnym rankiem, a wróciłem tego samego dnia ostatnim autobusem. Spędziłem z nią zaledwie dwie godziny, ale byłem bardzo dumny, że zachowałem się jak mężczyzna...

Pisarka zapytała mnie, czy wtedy, kiedy z tak bliska przyglądałaś się moim oczom, chociaż raz cię pocałowałem. Musi uważać mnie za tchórza. Tak bardzo się bałem, że mnie odtrącisz, że ten strach był silniejszy niż pożądanie. Nie mogłem znieść myśli, że się odsuniesz i spojrzysz na mnie z odrazą albo litością, a potem będziesz mnie traktowała jak pierwszego lepszego i ozięble trzymała na dystans. Na samo wyobrażenie takiej sceny umierałem ze wstydu.

Zresztą uważałem, że mnie nie kokietowałaś, i to próbowałem jej wytłumaczyć, że przyglądałaś mi się tak samo jak gniazdom czy trującym kwiatom. Ale nie wiem, Lauro, nie wiem, teraz myślę, że mogło być inaczej, niż sądziłem, że jednak mnie prowokowałaś. Bo ja ci się podobałem. Gdybym ci się nie podobał, nie całowałabyś mnie w ten sposób wtedy, w spichlerzu, i nie odpowiadałabyś tak na moje pieszczoty. Brałem cię trzy razy z rzędu i dalej byśmy się kochali, gdybym się nie odezwał, gdybym nie zaczął mówić... Czasem jeszcze teraz zastanawiam się, co by było, gdybym milczał, gdybym przytulił cię mocno do siebie i trzymał w ramionach przez całą noc, i nie puszczał. Gdybym ci powiedział tylko: „Zostań ze mną. Nie mogę żyć bez ciebie, Lauro".

XVII

Pożegnać się?... Mam nadzieję, że to nie z powodu mojego wczorajszego zachowania. Właśnie chciałem prosić panią o wybaczenie za moją obcesowość. Musi pani wiedzieć, że my, starzy ludzie, łatwo tracimy cierpliwość...

Pani nie musi mnie przepraszać. Od początku całkiem jasno wyłożyła mi pani swoje zamiary. Jeśli zgodziłem się na to przesłuchanie, sam jestem odpowiedzialny za moje złe samopoczucie...

Chwilami mnie też bardzo miło się z panią rozmawiało, ale chwilami wyprowadzała mnie pani z równowagi. Przy Laurze też to miałem, choć, jak pani wie, kochałem ją i szukałem jej towarzystwa, więc ten sposób zadawania pytań i podważanie odpowiedzi, które są nie po pani myśli, przypomina mi postępowanie Laury i mnie denerwuje. Zresztą w moim wieku lepiej nie poruszać pewnych tematów. Lepiej zostawić w spokoju to, czego nie da się naprawić...

Nie, broń Boże, proszę tak nie myśleć. Cieszę się, że panią poznałem, i że mogłem porozmawiać o tylu sprawach, o których nigdy z nikim nie rozmawiałem. I pomogła mi pani zobaczyć w jaśniejszym świetle pewne fragmenty mojego życia, do których nie wracałem pamięcią.

Ludzie płacą psychoanalitykom, żeby ich słuchali. Mnie to kosztowało tylko parę momentów irytacji...

Tak, to bardzo możliwe, że starałem się wykręcać sianem, ale musi pani przyznać, że przyjechała tu pani z gotowymi teoriami i szukała dla nich potwierdzenia...

No, na przykład ta teza, że byłem zawsze zakochany w Laurze, a małżeństwo i całe moje życie rodzinne to konformizm.

Wiem, że nie mówiła pani o konformiźmie, ale jakie znaczenie ma takie czy inne słowo. Widać, że w gruncie rzeczy myśli pani tak: to namiastka, kompromis, tak jak wtedy, kiedy nie mogłem zostać architektem, więc zostałem pomocnikiem architekta.

Spacer do magnolii? Oczywiście, jeśli pani ma ochotę. Nawet możemy tam sobie usiąść, jeżeli się pani nie spieszy. Często spędzam tam wieczory. I może mnie pani jeszcze pytać, jeśli coś zostało do wyjaśnienia...

Gdybym mógł wybierać!... Pani już wie, co wybrałem. Zostałem tu i opiekowałem się rodzicami za cenę mojego wykształcenia i kariery... Jeżeli chodzi o Laurę, gdyby to ode mnie zależało, oczywiście chciałbym, żeby stąd nie wyjeżdżała i żeby została ze mną. Co do tego nie mam najmniejszych wątpliwości. A co byłoby później? Zastanawiałem się nad tym wiele razy. Najbardziej pragniemy tego, czego nie możemy osiągnąć. Już tacy jesteśmy: gonimy za czymś do utraty tchu, a kiedy już to zdobędziemy, natychmiast przestajemy się entuzjazmować i szukamy czegoś innego. Najlepiej to widać u dzieci, bo my, starsi, potrafimy udawać. Pani nie ma dzieci, prawda? Ja mam mnóstwo wnuków, ale już wcześniej zaobserwowałem to u własnych dzieci. Zbliżało się święto Trzech Króli albo urodziny, więc wychodziły z siebie, żeby dostać upragnioną zabawkę, były nadzwyczaj grzeczne, spełniały polecenia dorosłych, a głównie matki i babki, żeby przekabacić je na swoją stronę, i tak, siłą nalegania, przekonywania, jak bardzo tego pragną, zdobywały w końcu rower, motor, czy ja wiem co jeszcze, te dzieci miały wszystko, a wnuki tym bardziej. I na ile im starczało entuzjazmu? No więc do czasu, kiedy ukazywała się nowa zabawka w telewizji. Moi synowie mają to do dzisiaj. Każdy mówi, ze jest zachwycony swoim samochodem, ale kiedy pokaże się nowy model, zaraz musi go mieć.

Myślę, że mnie to nie dotyczy. Jeśli coś mi się podoba, to z czasem nie przestaje mi się podobać. Widzi pani, ten dwór i ten ogród, i ten sad; nigdy mnie nie męczy praca tutaj i zawsze się nimi cieszę. Moi synowie wciąż przerabiają swoje domy albo budują nowe, wyjeżdżają na południe, bo poszukują słońca, a potem chcą tutaj budować następny dom, bo tam latem smażyli się w upale. Ja zawsze mieszkam w tym samym miejscu, od wiosny do zimy. Więc najpewniej, z uwagi na to, jaki jestem, nigdy nie znużyłoby mnie życie z Laurą...

Mówię najpewniej, bo mówimy o czymś, co się nie spełniło, i nie zapominajmy, że ona była tą zabawką, której nigdy nie udało mi się zdobyć. Proszę zrozumieć, co chcę przez to powiedzieć, to nie był kaprys ani sprawa dumy. Laura była tym, czego nie mogłem zdobyć, w ścisłym tego słowa znaczeniu. Pani może myśleć tak jak Maíta i Laura, że mogłem zajść dużo dalej w moim zawodzie, że poniosłem porażkę. Ale ja siebie widzę jako człowieka sukcesu i mówię to bez fałszywej skromności. Byłem synem strażnika i pokojówki Castedów i pomimo tego zdobyłem prawie wszystko, czego pragnąłem...

Prawie... Dwóch rzeczy jednak nie mogłem zdobyć, dwóch aspiracji, dwóch pragnień nie mogłem zrealizować.

167

Jedno dotyczy mojej pracy, pani już to zauważyła, ale chciałbym parę spraw uwypuklić. Było mi przykro, kiedy Maíta nie dawała mi spokoju z tym studiowaniem architektury, tak samo jak było mi przykro, że Laura nie ceniła wyżej tego, co robiłem, to prawda, ale teraz zdaję sobie sprawę, że miały trochę racji. To znaczy: myślę, że myliły się w tym sensie, że nadchodzi moment, kiedy należy człowieka zaakceptować takim, jaki jest, nie można całe życie przypominać mu, co mógłby zrobić, a czego nie zrobił. To jest bardzo irytujące i całkiem daremne. Ja moim dzieciom pomagałem i naciskałem, żeby wykonywały swoją pracę jak najlepiej. Nawet kiedy zaczęło nam się lepiej powodzić, dałem im możliwość poszerzania kwalifikacji za granicą. Jedyną, która z tego skorzystała, była Maíta, pojechała do Stanów i robiła tam *master*, inni nie chcieli. Otóż ja uważam, że zrobili źle, bo nie wykorzystali szansy, ale im tego nie powiedziałem i nigdy nie powiem. A z drugiej strony, z osobistego punktu widzenia, Maície nie wyszedł na dobre ten wyjazd, już pani o tym mówiłem. Tak więc każde rozwiąznie, nawet najlepsze, niesie z sobą pewne ryzyko i ma swoją cenę. Dlatego tak mnie drażni, że moja córka i Laura widziały same minusy tego, że zostałem tutaj i że nie studiowałem architektury. Ale to nie przeszkadza mi myśleć, kiedy przeglądam książki o wielkich architektach, że gdyby sprawy inaczej się potoczyły, miałbym chociaż możliwość spróbowania czegoś podobnego...

Proszę się nie śmiać, nie jestem geniuszem, tak jak nie jestem nieudacznikiem. Ale każdy chciałby, żeby mu pozwolono spróbować, jak daleko może zajść. Wiem, że to wszystko są marzenia i że do moich własnych ograniczeń trzeba by dodać ograniczenia kraju. Ilu Le Corbusierów wydała Hiszpania? Albo ilu Wrightów? Kraj też człowieka warunkuje, ogranicza go albo mu pomaga. Pisarz, malarz, muzyk może wykonywać swoje dzieła w jakimś stopniu niezależnie od realiów, które go otaczają, ale architekt nie.

Kiedy po raz pierwszy zobaczyłem drapacze chmur w Nowym Jorku!... Isabel myślała, że zachorowałem, ale Maíta zorientowała się, co się ze mną dzieje. Co innego zobaczyć to na zdjęciu, a co innego w rzeczywistości, poczuć się jak mrówka wobec tego ogromu, tak majestatycznego i pięknego. Nie umiem tego pani wytłumaczyć, to był inny świat, inny wymiar, inna koncepcja życia, inne spojrzenie na to, jak można mieszkać i egzystować. Przypuszczam, że lądowanie na Księżycu tak by mną nie wstrząsnęło. I nie chodzi tylko o wieżowce, ale tamte muzea, place, mosty; widziała pani, jakie ten kraj ma wspaniałe mosty? Patrzyłem na to wszystko z zachwytem, ale wówczas poczułem tak silnie jak nigdy dotąd, moje ograniczenia, małość mojego światka, w którym zamknął mnie brak wyższych studiów.

Isabel zrobiła wobec mnie wzruszający gest. Chodziłem jak ogłupiały od ciągłego patrzenia na Seagram, na te idealne proporcje, i na Citicorp, czterdzieści sześć pięter opartych na pięciu kolumnach, kręciło mi się w głowie, byłem oszołomiony, co pani będę mówić. I tego wieczoru, kiedy Maíta, która wtedy robiła tam *master*, pojechała do swojego akademika, i zostaliśmy sami w hotelu, Isabel przytuliła się do mnie w łóżku i powiedziała przed zaśnięciem: „A mnie bardziej podobają się domy, które ty budujesz".

Pani pomyśli, że to naiwność, i bez wątpienia tak jest, ale pani nie wie, jak bardzo byłem jej wdzięczny w tym momencie za te słowa, chociaż zdawałem sobie sprawę z ich naiwności. Isabel nie powiedziała tego, żeby mi pochlebić, nie było to litościwe kłamstwo, powiedziała to z przekonaniem, tak naprawdę czuła. A ja potrzebowałem takiego uznania. Byłem rozbity. Ta podróż pokazała mi świat, który znałem tylko z książek. A Maíta jeszcze pogorszyła moje samopoczucie. Nie chciałem nawet myśleć o tym, co widziałem, o tym książkowym świecie, który na moich oczach przekształcił się w rzeczywistość. To Maíta podsunęła mi myśl, że mógłbym do tego świata wejść. Tego samego dnia, kiedy z otwartymi ustami wciąż patrzyłem i patrzyłem na Seagram, to cudo, którego twórcą jest Mies van der Rohe, Maíta wzięła mnie pod rękę i powiedziała z całym przekonaniem: „Tato, ty zaprojektuj drapacz chmur, a ja rozwiążę wszystkie problemy techniczne"...

Powiedziałem, że oszalała, bo co jej miałem powiedzieć, i zacząłem się śmiać. Chciałem potraktować to jako żart, ale Maíta upierała się: „Mówię serio. Możesz to zrobić". Nawet nie chciałem się nad tym zastanawiać, w dalszym ciągu żartowałem, mówiłem, że postawię ten drapacz chmur w Bretemie, ale muszę się przyznać, że głowa zaczęła mi pracować na najwyższych obrotach i nie mogłem odpędzić od siebie fantastycznych pomysłów.

Jakiś czas to trwało. Ta podróż wytrąciła mnie z równowagi i przeżywałem kryzys. To, co robiłem, wydawało mi się nudne i bezwartościowe, spałem źle i śniły mi się mosty podobne do tego w Brooklynie i wieżowce jak z Nowego Jorku. Moja żona pomogła mi ten stan przezwyciężyć. Nie chciałem z nią rozmawiać na ten temat, ale w końcu powiedziałem jej, że architektura to jest tamto, a cała reszta to chałtury. A ona powiedziała coś, co mnie znowu uspokoiło. Powiedziała: „Tamto jest dobre do oglądania, ale nie do życia. Jestem pewna, że wszyscy, którzy pracują w tych wieżowcach, chcieliby mieszkać w jednym z tych domów, które ty projektujesz". Coś pani powiem, w Stanach byłem jeszcze trzy razy i zawsze poza tymi budynkami publicznymi oglądałem domy, gdzie mieszkają ludzie, domy, w których ludzie lubią mieszkać, i wie pani co? – moja żona nie była daleka od prawdy.

Jednak te drapacze chmur nie wychodziły mi z pamięci, pomysły kołatały mi się po głowie, aż któregoś dnia postanowiłem wyciągnąć je na światło dzienne i zacząłem robić rysunki. Bawiłem się tym, wie pani? To była czysta gra. Projekty nie były przeznaczone do realizacji, więc mogłem robić, co mi się żywnie podobało. Sprawiało mi to wielką przyjemność. W mojej pracy zawsze ograniczał mnie brak przestrzeni albo konieczność obniżenia kosztów. Na jeden obiekt, który mogłem wykonać wedle mojej fantazji, przy stu musiałem się liczyć z każdym groszem. A w tych rysunkach, przeciwnie, mogłem puścić wodze wyobraźni, bo te budynki były dla mnie tak nierealne, że nawet się nie przejmowałem, czy będą stały prosto. Była to dla mnie świetna rozrywka, która pomogła mi wrócić do rzeczywistości. Ale któregoś dnia nie oparłem się pokusie i pokazałem te rysunki Maície, a ona uznała je za możliwe do realizacji. Zwłaszcza jeden z nich. Powiedziała: „Ten jest jak twoje domy, ale w formie drapacza chmur. W nim nawet mama chciałaby mieszkać"...

Bo ten wieżowiec ma tarasy na każdym piętrze i ogrody wewnątrz budynku, a jako że lekko zwęża się ku górze, kiedy patrzy się z okna, wzrok sięga daleko, ale nie dostaje się zawrotu głowy, bo spoglądając w dół, widzi się niżej zadrzewiony taras...

Nie, nie miałem zamiaru go budować. W dalszym ciągu było to dla mnie szaleństwo. Isabel już nie żyła, ja zaś miałem mało energii, a dużo spraw na głowie. Ale Maíta porwała projekt, poprosiła mnie, żebym go jej podarował, więc jej go dałem, a tego samego roku na imieniny podarowałem jej także makietę.

Oddałem go i zapomniałem o całej sprawie. I oto jakieś pięć lat temu Gelo pojawił się w studio i oznajmił, że mamy w rękach najważniejszy projekt, jaki kiedykolwiek nam się trafił. Już pani mówiłem, że to on załatwia większość nowych zleceń i jest w tym bardzo dobry. A kiedy zapytałem, co to takiego, zaczął rozkładać na stole materiały. Wszyscy w studio już wiedzieli, a mnie przygotowali niespodziankę. Przez jakiś czas w ogóle się nie zorientowałem, bo makieta była sfotografowana w kolorze, powiększona i opracowana komputerowo, żeby budynek było widać z każdej strony, a to myli. Ale nie mogłem tego rozpoznać głównie dlatego, że nie byłem w stanie w to uwierzyć. Wtedy Gelo rozwinął mój oryginalny rysunek, ten, który podarowałem Maicie. To był mój drapacz chmur. Ale w dalszym ciągu nie rozumiałem tego marnotrawstwa pieniędzy na zdjęcia i plany, dopóki Gelo nie powiedział: „Wysłaliśmy go na konkurs i wygraliśmy".

Nie wierzyłem własnym uszom! Właściwie uwierzyłem w to dopiero wtedy, kiedy budowa wieżowca została ukończona. Były to dwa lata walki, niech pani nie myśli, że poszło łatwo. Były dziesiątki problemów; od protestów ekologów, którzy nie chcieli wieżowców w tym regionie, po finanse, które nas rozłożyły, dwa lata walki. Ale w końcu wyszło i wyszło dobrze...

Tak, to wieżowiec Brama Atlantyku. Maíta pani opowiadała, no jasne... A jeśli pani wiedziała, dlaczego mi pani nie przerwała? Dlaczego pozwala mi pani o tym opowiadać, jakby to była jakaś wielka nowina? Czuję się jak stara papla.

Tak, interesuje panią moja wersja. Zapomniałem o tym. To był główny cel rozmów, prawda? Poznać moją wersję wydarzeń, o których opowiadała pani Laura...

Dobrze, dobrze. Teraz z kolei pani się obraziła, a ja nie chcę, żeby zostały po mnie złe wspomnienia. Jeśli interesuje panią moje życie, proszę bardzo. Nie zostało nam zbyt wiele czasu...

Nie, w moim odczuciu budowa tego wieżowca nie była ani wielkim triumfem, ani szczytem mojej zawodowej kariery. Zaraz pani wyjaśnię. W pewnym sensie ten fakt przyznawał rację Laurze i Maície. Jestem absolutnie pewien ich reakcji: „Jeśli był zdolny stworzyć coś takiego bez studiów, co mógłby zrobić, gdyby studiował!”... Nawet ja sam to pomyślałem. Taki finał dał mi poznać granice, w obrębie których się poruszałem, i uświadomił lepiej, co odrzuciłem, zostając tutaj...

Gdybym miał jeszcze raz wybierać? Wybrałbym to samo. I nie tylko dlatego, że uważałbym to za swój obowiązek, ale ponieważ nie wiem, co by było, gdybym wybrał wyjazd. Być może byłbym dziś architektem znanym poza granicami Hiszpanii, jak Sainz de Oiza albo Moneo. Ale bardzo możliwe, że nie, że ani mój talent, ani życiowe okoliczności nie pozwoliłyby mi dojść tam, gdzie oni doszli. Jedyna pewna rzecz, to cena, jaką musiałbym zapłacić, żeby się tego dowiedzieć: miałbym wyrzuty sumienia, że pozwoliłem ojcu umrzeć samotnie i że mogłem być przyczyną wcześniejszej śmierci matki, a ponadto pozbawiłbym się satysfakcji, że przeżyła przy mnie tyle lat. Poza tym, najprawdopodobniej, straciłbym całe moje życie z Isabel.

Na jednej szali leży realne życie, które przeżyłem, a na drugiej możliwość triumfu zawodowego. Przeważa to, co przeżyłem. Kiedy oglądam się wstecz, nie czuję się przegrany. Myślę, jak pani przed chwilą powiedziałem, że osiągnąłem prawie wszystko, czego pragnąłem.

Zaczyna się robić zimno. Lepiej, jak będziemy się zbierać do domu...

Już pani wie, jaka jest ta druga rzecz, której nie osiągnąłem. Laura była moim wielkim niespełnionym pragnieniem. Tak jest, i nie ma co tego roztrząsać. Ale tutaj nie mogłem nic zrobić, a jeżeli była taka możliwość, nie umiałem jej dostrzec we właściwym momencie. To ona tak wybrała, a mnie nie zostało nic innego, jak pogodzić się z sytuacją.

W ciągu wielu lat nie chciałem do tego wracać. Sam sobie narzuciłem przymus odpędzania tych wspomnień. Nie mogłem znieść myśli, że nie walczyłem wystarczająco, że pozwoliłem jej odejść, nie próbując wszystkiego, wszystkiego!... cokolwiek by to było.

Proszę się nie obawiać. Teraz już mogę o tym mówić. Starość przynosi człowiekowi spokój, godzi go z jego własnymi błędami i porażkami. Myślę, że tak działa bliskość śmierci. Ale przez długie lata paliło to jak otwarta rana, która nie może się zabliźnić. I jedynym lekarstwem było nie myśleć, eliminować te myśli z życia...

Popołudnie w spichlerzu!... Najszczęśliwsze i najsmutniejsze popołudnie w moim życiu. To nam zajmie jeszcze chwilę. Chce pani wejść i wypić ze mną kieliszeczek wina? Na pożegnanie...

XVIII

Nie sądzę, żeby to była próba. Gdyby tak było, musiałaby zostać ze mną.

Proszę nie brać moich słów za przejaw próżności. Po prostu nie uwierzę, żeby z innym było jej lepiej niż ze mną tamtego dnia. Zresztą sama mi to powiedziała, że ze mną było jej lepiej niż z mężem. Powtórzyła to dwa razy, przy różnych okazjach. Myślę, że nie mówiłaby mi tego, gdyby tak nie czuła.

To nie była próba. Ona była ostatecznie zdecydowana na wyjazd. Fakt, że się ze mną przespała, nie miał w niczym zmienić jej planów. Nie wierzę też, żeby to było tak całkiem spontaniczne. Czasami wchodziliśmy razem do spichlerza, choć to nie było czymś normalnym. Ale wtedy ona poprosiła: „Wejdź ze mną. Pomóż mi przynieść trochę jabłek".

Kiedy weszła, odetchnęła głęboko i zawołała: „Jak pięknie pachnie!". Zrobiła parę obrotów z rozłożonymi ramionami, tak jakby tańczyła albo jakby chciała objąć powietrze, i opadła na leżące na ziemi puste worki. „Tu jest dobrze", powiedziała. I skinęła, żebym usiadł obok niej...

Jestem przekonany, że zaprowadziła mnie tam, żeby się ze mną kochać. I widzę tylko jedno wytłumaczenie: chciała to zrobić. Tak samo jak chciała włożyć palec do ptasiego gniazda. Chciała wiedzieć, co się czuje, a jeżeli

175

jajka się zmarnują, tym gorzej dla nich; chodziło o jej doświadczenie, o jej potrzebę przeżycia czegoś nieznanego i pociągającego. Wiedziała, że źle robi, wychodząc za mąż za innego, że ja będę cierpiał, ale to nie miało dla niej znaczenia.

Kochała się ze mną, a potem zniknęła, i rozłąka stała się dla mnie jeszcze bardziej bolesna, bo zdałem sobie sprawę, że również pod tym względem traciłem kogoś wyjątkowego, kogoś, przy kim nie musiałem się zastanawiać, czy coś robię dobrze czy źle, bo wszystko wypływało samo z siebie...

Stworzeni dla siebie. Oczywiście, tak to można odebrać, i muszę się przyznać, że ja sam przez dłuższy czas tak myślałem. To bardzo wygodne nie przejmować się w łóżku partnerką, kiedy możesz myśleć o sobie, a jej się to podoba. Ale dać rozkosz, wiedzieć, że jej rozkosz zależy od ciebie, to też jest forma rozkoszy. A z Laurą było inaczej. Laura była samowystarczalna...

Ja też tego do końca nie rozumiem, ale myślałem o tym, kiedy mi powiedziała, że ze mną było jej lepiej niż z mężem, i kiedy powiedziała pani, że godzinami mu się przyglądała. Jeżeli tak lubiła na niego patrzeć, to powinno jej być dobrze w łóżku, a jeżeli tam im nie wychodziło, to najpewniej dlatego, że on nie zaspokajał jej namiętności, albo dlatego, że... och, nie lubię wchodzić w szczegóły w tych sprawach, ale myślę, że pani mnie rozumie. Przy Laurze nie potrzeba było miłosnych zachodów, wystarczyło nadążać za jej rytmem i wytrzymać do końca, żeby czuła się zaspokojona. Tak przynajmniej było tamtym razem i ze mną. To nie znaczy, że zawsze musi być tak samo. Opowiadałem pani, jak któregoś dnia, kiedy już mój ojciec był w ciężkim stanie, wsiadłem w autobus i pojechałem do Marisy; oczywiście, miałem na to ochotę, ale

myślę, że zrobiłem to głównie dlatego, by zademonstrować, że ja też potrafię wykazać inicjatywę. I od tamtego razu nasze łóżkowe sprawy przybrały inny charakter. Być może z Laurą byłoby tak samo, ale w przypadku Laury wszystko „być może", więc jeśli mam się ograniczyć do tego, co przeżyłem, czego doświadczyłem tamtego popołudnia, mogę powiedzieć, że to nie ja się z nią kochałem, ale ona kochała się ze mną. W tamtym momencie sobie tego nie uświadamiałem, ale miałem dużo czasu, żeby to przemyśleć, i to wrażenie, że byłem...
Manipulowany, nie, na Boga! Mówimy o Laurze. Między nami nie mogło być manipulacji. Chcę powiedzieć, że było podobnie jak wtedy, kiedy prosiła mnie do tańca na odpustach Matki Boskiej z Karmelu albo kiedy wyciągała mnie z domu, żebym z nią poszedł tu czy tam. Ona podejmowała decyzje, a ja szedłem za nią bez szemrania. Więc to był jeszcze jeden podobny epizod. Wtedy nie widziałem tego tak jasno, ale z perspektywy lat i takiego a nie innego obrotu spraw wniosek nie może być dla mnie zbyt satysfakcjonujący...
Jedynym wytłumaczeniem może być tylko jej ciekawość, nieprzeparta chęć, jak w przypadku gniazda...
Ładny, w potocznym znaczeniu tego słowa, nie byłem, ale coś pociągającego musiałem mieć, jeśli Marisa, kobieta doświadczona, i moja żona, która mogła wybierać i przebierać, i nawet Laura, chciały iść ze mną do łóżka. Ale kto tam może wiedzieć dlaczego! Pod tym względem kobiety są o wiele bardziej kapryśne niż mężczyźni. To, co podoba się nam, mężczyznom, jest dość jasne, elementarne, ale co się podoba kobietom, nie. Nigdy nie wiadomo...
Prezent? Nie, nie sądzę, żeby to był prezent. Nie myślę, że w ten sposób chciała mi wynagrodzić wierną służbę...

Rozumiem, co pani chce powiedzieć, ale nie sądzę, żeby to było przyczyną. Nie wiem, czy wie to pani od Laury, czy sama pani na to wpadła. Możliwe, że Laura potrzebowała pretekstu dla siebie samej. Kiedy brała do ręki gniazdo, nie szukała pretekstów, ale ptak to nie to samo co człowiek. Ona wiedziała, że będę cierpiał, i musiała się usprawiedliwić. Nikt nie kocha się z wdzięczności, tym bardziej wiedząc, że ta druga osoba zostanie z uczuciem palącego niedosytu...

Skąd pani może wiedzieć, co ja czułem? Albo jak Laura mogłaby przypuszczać, że oddając mi się raz, jest w stanie mnie zadowolić. Ona nie była chwilowym kaprysem, który można zaspokoić jednym łóżkowym numerem. Ja chciałem Laury dla siebie, na zawsze, żeby się z nią kochać, to jasne, ale także i głównie dlatego, żeby z nią rozmawiać, żeby dzielić z nią życie, tak jak robiłem to w ciągu tylu lat...

Nie żywię urazy, ale wdzięczności też nie czuję. Nawet nie byłem tym pierwszym. Już wtedy sypiała ze swoim narzeczonym. I tamtego popołudnia nie ja wykazałem inicjatywę, nie prosiłem jej o nic, co ona czułaby się zobowiązana mi dać, z litości czy jako rekompensatę za tyle lat uwielbienia. Nie. Ja jej o nic nie prosiłem. To ona do mnie przyszła...

Usiadłem obok niej i wtedy ona pogłaskała mnie po włosach, zdjęła mi jakiś listek, coś, co mi się przyczepiło, i zaczęła mnie pieścić. Najpierw po włosach, potem przesunęła mi palcami po brwiach i po wargach i zbliżyła do mnie usta... i od tego momentu już nie pamiętam, co robiliśmy ani ja, ani ona. Zdzieraliśmy z siebie wzajemnie ubranie, przewróciliśmy się na podłogę i tarzaliśmy się po owocach i chropowatych deskach... Jeszcze wiele dni później wciąż miałem spuchnięte usta i ciało pełne siniaków i zadrapań. Przypuszczam, że ona także...

178

Miałem niewielkie doświadczenie. Nigdy nie lubiłem chodzić na dziwki, więc spałem tylko z paroma okolicznymi dziewczynami i z Marisą, nauczycielką. To ona mnie nauczyła tych paru rzeczy, które wiedziałem. Ale prawdę mówiąc, nie miałem okazji ich zastosować, zresztą nie było potrzeby...

Chcę powiedzieć, że to Marisa nauczyła mnie, co trzeba robić, żeby zadowolić kobietę. Teraz czasy się zmieniły i mówi się o tym nawet w pismach sprzedawanych w kioskach. Przedtem tego nie było i chłopak uczył się w praktyce, wkładając w to dużo dobrej woli. Chyba że tak jak ja miał szczęście i spotkał kobietę, która go oszlifowała. Zawsze byłem jej za to wdzięczny, ale w przypadku Laury wszystko potoczyło się inaczej...

Otóż, nie wiem jak to opisać. Marisa mówiła: „Powoli, nigdy się nie spiesz", taka była złota zasada...

Ja też uważam, że to dobra zasada, przynajmniej u mnie zawsze się sprawdzała... ale nie wtedy z Laurą. Wtedy było tak, jakby nas oboje porwało tornado. Nawet nie pamiętam, czy zrobiliśmy to trzy czy cztery razy, bo wspomnienia mi się mieszają i zawsze z tym samym uczuciem palącej żądzy. Tylko za ostatnim razem było trochę spokojniej, przynajmniej mogłem na nią patrzeć i widzieć jej twarz i ciało, kiedy ją obejmowałem... Ale nie zachowałem wyraźnego obrazu: słońce przenikało przez deski spichlerza i złociło jej białą skórę poznaczoną pasami cienia i światła. Nie rozmawialiśmy, tylko całowaliśmy się i pieścili, a jedna pieszczota prowokowała drugą i następną, i tak aż do końca, i zaraz potem znów od początku. Nie wiem, jak to pani powiedzieć. To było tak, jak wtedy, kiedy człowiek czuje ogromne pragnienie i w końcu może się napić, wtedy nie myśli: „Muszę pić wolno, bo może mi zaszkodzić, albo muszę rozkoszować się wodą"; nie myśli o niczym, tylko pije i pije, przestaje na moment, żeby złapać oddech, i pije dalej. No, coś w tym rodzaju. Tak więc według tego, co mówiła Marisa, wszystko powinno wyjść fatalnie i Laura nie powinna być zadowolona. Ale była. Dlatego mówię, że z kobietami nigdy nie wiadomo...

A ja?... Widzi pani, ten przykład z zaspokajaniem pragnienia nieźle to oddaje. Ja pracowałem w polu, bo kiedy ojciec zachorował, zajmowałem się wszystkim. I czasami bywało, że umierałem z pragnienia, ale prawie nie zwracałem na to uwagi, bo chciałem skończyć czym prędzej, albo nie miałem wody, a nie chciało mi się tracić czasu na wyciąganie jej ze studni. I kiedy wreszcie zaczynałem pić, tego, co czułem, nie można nazwać rozkoszą. Powinieniem umierać z pożądania, pragnąc Laury, ale nie zdawałem sobie z tego sprawy, nie widziałem tego w ten sposób. Potrzebowałem jej, ale od kiedy wyjechała do Madrytu, przyzwyczajałem się do myśli, że nie będzie moja, stopniowo rezygnowałem z niej, choć sobie tego wyraźnie nie uświadamiałem. Jeszcze zanim się dowiedziałem, że ma narzeczonego i że wychodzi za mąż. I nigdy nie pozwoliłem sobie na żadne fizyczne zbliżenie. Głównie przez nieśmiałość, tak przypuszczam, a po części z dumy; nie mógłbym znieść odrzucenia. Tak więc, z tych czy innych względów, wobec jej zachowania w spichlerzu puściły mi wszelkie hamulce, poddałem się bez reszty nastrojowi chwili, ale w głębi duszy cały czas czułem, że to pożegnanie, że to w niczym nie zmieni jej planów, że odejdzie...

Nie mogę oddzielić tamtych uczuć od tych, które nastąpiły wkrótce potem: przemieszane ze sobą żal, rozpacz, bezsilność. Odchodziła ode mnie, odchodziła na zawsze do innego mężczyzny, a ja nie mogłem zrobić nic, żeby temu zapobiec. I ten ból w jakimś sensie już był ukryty w naszych pieszczotach tamtego popołudnia.

Nie mogę też powiedzieć, że było to złe czy nieprzyjemne doświadczenie. Jeżeli pani odniosła takie wrażenie, to dlatego, że źle to wyjaśniłem. Tylko że w porównaniu z tym, czego doświadczyłem z innymi kobietami, w przypadku Laury obok rozkoszy krył się ból, a inne kobiety dawały mi przeżycia i odczucia wyłącznie przyjemne...

Ograniczając się do dwóch kobiet, z którymi łączyły mnie wieloletnie kontakty, powiem pani, że jeśli chodzi o Marisę, to od pierwszej chwili jasno zdawałem sobie sprawę, że to kwestia pociągu fizycznego. Potem, z czasem, zrodziła się między nami czułość, co jest oczywiste. Ona mnie pociągała, a ja ją. Ale nie byliśmy w sobie zakochani...

Nie, sądzę, że ona też nie. Nigdy nie chcieliśmy zmieniać naszych układów, nawet po śmierci Isabel. I nie była to sprawa wieku, ona była tylko trochę starsza ode mnie...

No tak, jak pani się uprze, może pani uznać, że byłem jej miłością niespełnioną, tak jak Laura moją... Ale dlaczego pani stara się ciągle podważać to, co mówię!...

Pięknie, w takim razie powiedzmy jasno, że ja nie byłem zakochany, a ona może była, i że okazałem się egoistą, bo zupełnie nie przejmowałem się jej uczuciami, jest pani zadowolona?... Już nie pamiętem, o czym mówiłem. Ciągle mi pani przerywa i tracę wątek...

Z Isabel było idealnie... Przy niej miałem uczucie, którego nie zaznałem ani wcześniej, ani potem, że posiadam kobietę, że jest moja... Najprawdopodobniej uzna mnie pani za macho. Tak samo jak moja córka; gdyby Maíta to słyszała...

W niektórych sprawach myślę, że ma rację: rozumiem, że jest to bardzo niesprawiedliwe, kiedy mężczyźnie wolno, a nawet liczy mu się na plus, to, co krytykuje się u kobiety, to znaczy wolne związki, doświadczenie. Ale niech pani posłucha, rozmawiam z panią szczerze, jak z moją córką: kiedy się dowiem, że któryś z moich żonatych synów włóczy się z kobietami, sprawi mi to dużą przykrość i zrobię wszystko, co w mojej mocy, żeby go zawrócić ze złej drogi. Ale gdyby to była moja córka, zmartwiłbym się dużo bardziej, bo jej nie posądzałbym o szukanie przygody czy słabość, tylko widziałbym w tym dużo poważniejszy problem. Ja w głębi duszy, i mogą mi mówić co chcą o równości, w dalszym ciągu jestem przekonany, że jeżeli mężatka pakuje się w jakieś ryzykowne historie, to nie dlatego, że ktoś jej się podoba, tylko dlatego, że coś się nie układa, ale to zupełnie, w jej małżeństwie. Jestem pewien, że nawet dzisiaj większość kobiet nie idzie do łóżka wyłącznie dla seksu, tylko z powodów dużo bardziej...

Tak, poważniejszych, bardziej złożonych...

Seks w zamian za miłość. Możliwe. Oddają się, bo oczekują miłości. Maíta też mi o tym mówiła i jej wydaje się to bez sensu, to głupota, powiedziała, bo mężczyźni dają wyłącznie seks za seks.

Maíta w pewnych sprawach jest zupełnie zaślepiona, we wszystkim widzi dyskryminację, a myli się. To nieprawda, że mężczyźni dają wyłącznie seks za seks. Jeżeli mężczyzna śpi z kobietą i jest mu z nią dobrze, w końcu zaczyna mu na niej zależeć, chociaż na początku mu nie zależało. Myślę, że to jest dosyć częste. A z drugiej strony, wiele spraw męsko-damskich przez długi czas traktowało się w określony sposób i nie zmieni się tego z piątku na sobotę, a nawet przez jedno pokolenie...

Mówię o tym, że mężczyzna woli kobietę, która należała tylko do niego, oddała się tylko jemu. Nie myślę tu o jakiejś starej pannie, której nikt nie chciał, ale o takiej kobiecie, jak Isabel, która mogła wybrać, kogo tylko by sobie wymarzyła. Miała pretendentów w nadmiarze, ale kochała mnie, tylko mnie. To jest coś wyjątkowego, proszę mi wierzyć, i mężczyzna, jeżeli jest człowiekiem solidnym, będzie tę kobietę szanował i okazywał jej względy, jakich nie okaże innej, dla której był jednym z wielu...

Odwrotnie to już nie jest to samo. Zna pani takie powiedzenie: mężczyzna chce być pierwszą miłością kobiety, a kobieta ostatnią miłością mężczyzny. Tak było w ciągu wieków; u mężczyzny ceni się doświadczenie, bez względu na to jak zostało zdobyte. Nie mówię, że to sprawiedliwe. Moja córka twierdzi, że ten sposób myślenia jest konsekwencją męskiej dominacji, która narzuciła sądy korzystniejsze dla mężczyzn. Być może tak jest, nie przeczę, ale dla wielu ludzi, kobiet i mężczyzn, one są w dalszym ciągu obowiązujące. A że inni, jak pani i moja córka, uważają je za złe, to nie zmienia postaci rzeczy...

Zmieniają się, zgoda, i nawet mówienie takich rzeczy jest źle widziane, ale proszę mi wierzyć, ja to mówię, ale inni – i kobiety, i mężczyźni – tak myślą, chociaż tego nie mówią...

Chciałem właśnie powiedzieć, że dla niektórych kobiet istnieje tylko jeden mężczyzna, a inne muszą mieć wielu, zawsze tak było. Co nie znaczy, że są to kobiety lekkich obyczajów, ale że widzą w tym przyjemność. I w porządku. Oboje – i mężczyzna, i kobieta – znajdują rozkosz w łóżku, robią to dyskretnie i nic się nie dzieje. Jak w przypadku Marisy. Ale są kobiety, przynajmniej kiedyś były, które oddają się tylko temu mężczyźnie, w którym się zakochają i chcą z nim dzielić życie. Przy takiej kobiecie mężczyzna ma wrażenie, że rzeczywiście posiadł kobietę, że jest tylko jego. Czy to naprawdę tak trudno zrozumieć? Alpinista ryzykuje życiem, żeby pierwszy wejść na szczyt jakiejś góry; ale po co szukać tak daleko: jeśli któregoś dnia wychodzi pani z domu i widzi świeżutki śnieg, ja to wiele razy widziałem w polu, nie ma pani ochoty postawić na nim stopy?...

Nie! Nie uważam, że kobietę bruka sypianie z wieloma mężczyznami. Próbuję pani coś wytłumaczyć, a pani mnie obuchem w łeb. Albo zacznie pani racjonalnie myśleć, albo kończymy tę zabawę...

Więc niech pani zapamięta raz na zawsze, pani, moja córka i wszystkie feministki świata: jeśli mężczyzna chce się spuścić, to wszystko mu jedno, czy ta kobieta spała z jednym czy z setką. Ale jeśli chce z kobietą żyć, być przy niej i założyć rodzinę, im mniej tych mężczyzn, tym lepiej. A jeżeli on jest jedynym – miód na jego serce. I to, co mówię, nie podlega dyskusji...

Ja się nie denerwuję. Niech pani pyta, o co chce, i mówi, co chce. Powiedziałem pani, że odpowiem, i odpowiem. Ale niech pani nie przeinacza moich słów, ani nie wymusza na mnie, żebym powiedział to, czego nie myślę ani nie czuję...

Chciałem, by pani zrozumiała, że byłem bardzo zadowolony ze współżycia z żoną i że czułem się związany z nią w szczególny sposób, bo była mi tak oddana, jak żadna inna kobieta. I to, co mówię, nie powinno się pani wydawać tak dziwne, bo, widzi pani, jak to bywa, moja córka Maíta, zawsze taka nowoczesna, trafiła na mężczyznę podobnego do jej ojca: mężczyznę, który nie chce rozwieść się z żoną, bo ona, tak jak moja Isabel, zaufała mu i oddała się jemu, tylko jemu, duszą i ciałem na zawsze...

Niech pani nie kombinuje, tylko wyraźnie powie, o co chodzi. Oczywiście, że wśród tych względów, jakie okazywałem żonie, było postanowienie dochowania wierności. Byłem wierny w małżeństwie z jedynym wyjątkiem, ale Marisę widywałem raz w roku od święta i Isabel nigdy się o tym nie dowiedziała...

184

Gdyby Isabel robiła to samo z jakimś mężczyzną, co ja z Marisą, bardzo miałbym jej to za złe, ale jestem pewny, że ona zrobiłaby to tylko wtedy, gdyby mnie nie kochała, gdyby mnie miała dosyć... Nie, dla fizycznej przyjemności Isabel by tego nie zrobiła. Isabel, nie. Znałem ją dobrze. Dla przyjemności nie zrobiłaby tego. Niech pani też mnie zrozumie, proszę się postarać i postawić na moim miejscu. Niech pani spojrzy z punktu widzenia mężczyzny, który tak to odczuwał od momentu, kiedy zaczął myśleć, kiedy wszyscy wokół niego myśleli tak samo, poza paroma feministkami, podobnymi do Maíty...

Gdyby Isabel dowiedziała się o Marisie, zerwałbym z Marisą bez chwili wahania. Wiem, że by się zmartwiła, ale ona wiedziała, że nasze stosunki mogły się utrzymywać tylko w takiej formie. Ja nie byłem nikim szczególnym w jej życiu; byłem przyjacielem, z którym szła do łóżka, ot i tyle...

Niech to pani powie: jestem łajdakiem. Tak właśnie pani myśli. Moja córka pewnie myśli tak samo. Ale chcę powiedzieć jedno: jestem łajdakiem, który mówi prawdę. Wiem, że zrobiłem źle, oszukując Isabel. Wiem, że nie byłem w porządku wobec mojej żony, że nadużyłem jej zaufania, że nie odwzajemniałem jej miłości, jej oddania dla mnie tak, jak na to zasługiwała... Lecz jedno jest pewne: nie zostawiłbym Isabel za nic na świecie. Nawet dla Laury. Nawet dla niej. I to niezłomne postanowienie, że zawsze będę przy niej, dawało mi poczucie przyzwolenia na takie małe eskapady, jak ta z Marisą.

Wszyscy postępujemy źle i wchodzimy w pokrętne układy z sumieniem. Wszyscy. Widzi pani, moja Maíta żyje z tym żonatym człowiekiem. Ani to nie jest dobre, ani zgodne z jej zasadami. Ale żyje z nim, akceptuje ten stan rzeczy i ani go nie rzuca, ani nie żąda, żeby zerwał z żoną... I pani też pewnie zdarzyło się zrobić coś złego i starała się pani załatwić to najlepiej jak można. Mówię o takim wielkim błędzie nie do naprawienia, takim, do którego człowiek nie chce się przyznać. Niech pani się nie denerwuje. Nie będę zadawał żadnych pytań...

Jak to mówią diabeł mądry, bo stary, a nie, bo diabeł. I nikt nie będzie przez pół życia rozpamiętywał jakiejś historii, jeśli nie dotyczy go bezpośrednio. Jeszcze kieliszek wina?

Jak pani chce. Może powinna pani poczekać do jutra. Zrobiło się nieco późno. Już uznała pani pracę za skończoną?...

W takim razie odprowadzę panią do samochodu. Proszę jechać ostrożnie. Przed dojazdem do szosy głównej jest parę bardzo ostrych zakrętów, musiała je pani zauważyć.

Proszę spojrzeć, jeszcze widać magnolię na tle nieba... Przepiękna... Laura wiedziała, że się nią nie nacieszy. Myślę, że właśnie to był jej prezent. Prezent, który kosztował mnie mnóstwo pracy. Ale było warto.

Laura

Tak, przypuszczam, że tak, że w dalszym ciągu jestem w nim zakochana...

Nie, nie widać po mnie wielkiego szczęścia, ani nawet zbytniego przekonania. Szczęście i miłość nie mają za wiele wspólnego...

Może trafiłeś w sedno. Być może nie jestem zakochana, tylko uparłam się, żeby w to wierzyć. Być może boję się przyznać, że się pomyliłam, że to wszystko było jednym wielkim błędem. Ale jak powiesz zakonnicy w klauzurze, że nie istnieje życie wieczne?

XIX

Pisarka wyjechała. Wczoraj, wieczorem, prawie w nocy. Mówiłem jej, żeby została do rana, ale nie chciała; powiedziała, że w ten sposób uniknie korków w Madrycie. Strasznie jest uparta.

Trochę mnie zmęczyła tyloma pytaniami, czasem była denerwująca, bo tak jak Maíta, wywraca kota ogonem, a poza tym są sprawy, o które nie wolno aż tak się wypytywać, przesadna dociekliwość, w końcu to, co ma zamiar napisać, będzie tylko powieścią.

To się okaże, co tak naprawdę napisze... Któregoś dnia miałem z nią kolejną małą sprzeczkę... Było ich sporo, bo czasami robiła się nawet nietaktowna, ale tamtego dnia poszło o to, co będzie pisać. Powiedziałem, że chciałbym przeczytać powieść przed publikacją. Odpowiedziała, że nie, że ty też nie widziałaś tekstu przed wydaniem książki, i że to by było tak, jakby mnie prosiła o pozwolenie. Wydawało się normalne, że powinna mnie poprosić o pozwolenie, w końcu opisywała moje życie, ale ona powiedziała, że nie znosi biografii autoryzowanych, w których protagonista przedstawia swój obraz tak, jak chce, a nie tak, jak go widzi autor, a poza tym to nie będzie biografia, tylko powieść. I na nowo opowiedziała mi historię tej autorki książki o Adrianie, mam ją tutaj, Maíta mi przysłała, przeglądam ją, i dla mnie to jest biografia. Pisarka mówi, że nie, że nikt na świecie nie uważa tej książki za biografię i to, co ona napisze, też będzie powieścią, chociaż dotyczy rzeczywistych ludzi i faktów.

Koniec końców tak się zaparła, że miałem dwa wyjścia: albo ją wyrzucić, albo ustąpić. I ustąpiłem, bo prawdę mówiąc, Lauro, od czasu, kiedy wyjechałaś, nigdy tyle i tak długo z nikim nie rozmawiałem. I będzie mi jej brakowało. Z jednej strony mnie irytowała, nawet nie raz dotknęła mnie do żywego, ale z drugiej to dobrze, że mogłem sobie uporządkować tyle sądów, tyle uczuć nagromadzonych przez lata.

Teraz wiele rzeczy widzę jaśniej i to pomogło mi podjąć decyzję, która chodziła mi po głowie, siedziała we mnie, ale nie mówiłem ci o niej; ani tobie, ani nikomu. I teraz to zrobiłem. Może powinienem najpierw porozmawiać z tobą, ale w końcu to Maíta będzie się zajmowała praktyczną stroną całej sprawy, więc jej pierwszej o tym powiedziałem.

To jest coś, co już wcześniej postanowiłem, ale co należy do decyzji, które człowiek odkłada, jak napisanie testamentu, z lenistwa albo przez to, że wchodzenie w takie szczegóły nie należy do przyjemności. Nikt nie lubi mówić o śmierci. Ale to już zostało powiedziane i zadecydowane: będę pochowany tutaj. Przy tobie, Lauro.

Zleciłem to Maície. Niech mnie spalą, potem niech tutaj rozrzuci prochy, a urnę zaniesie na cmentarz.

Ma to zrobić dyskretnie, tak jak to zrobiliśmy z tobą. Pomyślałem, że będzie lepiej, jak się o tym dowie także mój najstarszy syn, Francisco. On teraz mieszka ze mną we dworze i nie wypada, żebym to przed nim ukrywał. Zresztą, pomoże jej rozkopać ziemię. Inni nie muszą tego wiedzieć...

Nie ukrywam się, nie ma w tym nic wstydliwego, ale nie chcę, żeby się we wsi dowiedzieli, bo im mniej ludzi wie, tym lepiej. Wnuki w końcu by wygadały. I już ci to kiedyś powiedziałem, nie chcę robić z tego zakątka ani cmentarza, ani miejsca pochówku. Teraz jest bardzo miło usiąść sobie na ławce, drzewo jest piękne i z tym murem bardzo tu zacisznie, nawet zimą. Ale gdyby ktoś tu leżał, już byłoby inaczej. Z tobą to co innego, wiem tylko ja i Maíta, która rzadko przyjeżdża. A mnie wcale nie przeszkadza, że tu jesteś, wprost przeciwnie...

Kiedy ty podjęłaś taką decyzję, powiedziałem, że to ekstrawagancja, i to jest ekstrawagancja, Lauro. Tu nikt nigdy nie kazał się pochować pod drzewem, to dobre w powieści albo w filmie. Ludzi chowa się na cmentarzu cywilnym albo na tym drugim, ale na cmentarzu. Chociaż teraz artyści wymyślili sobie, żeby wrzucać ich prochy do morza, taka teraz moda. Rodzina wypływa łodzią i płynie z nią telewizja, żeby cały świat się o tym dowiedział.

To prawda, że pogrzeby się ogłasza i przychodzi dużo ludzi, ale to co innego, przychodzą przyjaciele, bo przy tym rozrzucaniu prochów, wydaje mi się, że chodzi o zwrócenie uwagi. Ja zawsze lubiłem dyskrecję; więc postanowiłem, że urnę zabiorą na cmentarz, a prochy zostaną wysypane tutaj, bez żadnych ceregieli, bo nie chcę dać powodu do plotek. Będzie to jedyna ekstrawagancja w moim życiu... Zresztą nie wiem, dlaczego tak się przed tobą tłumaczę, chyba mam pełne prawo kazać pochować się pod drzewem, które pielęgnowałem przez dwadzieścia pięć lat. I w ziemi, która może i należała do twoich przodków, ale teraz jest moja...

Przepraszam, Lauro. Nie chciałem tego powiedzieć. Przyszedłem zadowolony, żeby ci donieść o mojej decyzji, i sam z siebie wpadłem w złość. Ostatnio często mi się to zdarza, chyba ramoleję. Ale musisz zrozumieć, że złości mnie, kiedy tak się usprawiedliwiam przed tobą, podczas gdy ty nie dałaś mi żadnego wyjaśnienia. Nawet instrukcji...

Pomysł z zaniesieniem na cmentarz pustej urny był mój, i wydaje mi się, że nie był najgorszy. Nie wyraziłaś się dokładnie i twój syn chciał włożyć urnę tutaj, jakby to była nisza cmentarna. Ale ja pomyślałem, że byłabyś zadowolona, gdyby twoje prochy pomieszały się z ziemią i razem z sokami powędrowały w górę drzewa. I ja chcę tego samego. A jeśli chodzi o urnę, coś trzeba było z nią zrobić, a poza tym twoje nazwisko musiało widnieć na tablicy.

Ty chciałaś, żeby cię pochowano na cmentarzu obok ojca, i żeby ludzie czytali wasze nazwiska jedno obok drugiego, przynajmniej tak mówiłaś przedtem, i nagle postanowiłaś leżeć tutaj. Ja wiem, że ludzie się zmieniają z latami i zaczynają inaczej myśleć, wiem to po sobie. Ale ty zrobiłaś to bez słowa wyjaśnienia, Lauro, bez pytania mnie o pozwolenie, jakby ta ziemia w dalszym ciągu należała do ciebie...

W pewnym sensie tak było, ja wiem. Należała do twoich przodków przez wieki... Czasem myślę, że zrobiłaś to, żeby było jasne, że jest twoja, chociaż ja ją kupiłem. W tylu przypadkach nie wiem, dlaczego coś zrobiłaś tak, a nie inaczej... Innym razem myślę, że to drzewo to prezent dla mnie, dla mojej starości. Wiedziałaś, że ta odmiana zakwita dopiero po dwudziestu pięciu latach?... Może dlatego chciałaś tu leżeć, bo wyobrażałaś sobie, że ja będę dbał o magnolię, że będę tu przychodził, siadał w cieniu i cieszył się jej kwiatami. Ty tego nie doczekałaś. Włożyłem dużo pracy, żeby się nie zmarnowała, ale teraz jest cudowna, nawet z daleka przyjeżdżają ludzie, żeby ją oglądać. Chciałbym, żebyś to mogła zobaczyć, ale jest jak jest, i kiedy Maíta wtedy powiedziała, że przywiezie cię tutaj, żebyś mogła dojść do siebie, ja... No cóż, nie czas, żeby teraz o tym mówić.

Chcę tylko, byś zrozumiała, że moja dyskrecja nie oznacza, że uważam to za coś wstydliwego albo że robię coś ukradkiem. To sprawa intymna, Lauro. Intymna, zrozum. Nie chcę, żeby ktokolwiek snuł jakieś domysły, czy wyciągał mylne wnioski. Gdyby moi synowie dowiedzieli się, że ty jesteś tutaj, zadawaliby sobie pytanie, dlaczego mnie się nie chowa na cmentarzu, obok ich matki i babki, rozumiesz? Już wystarczy, co o tym myśli Maíta, bo ona jedyna zna całą historię.

Wyobrażaliby sobie coś, czego nie było. A także i to, co mogłoby być. Przypuszczaliby, że gdybym miał okazję, to porzuciłbym ich matkę za życia, tak jak porzucam ją po śmierci. A nie chciałbym, żeby tak myśleli, bo to nieprawda.

Posłuchaj, Lauro, gdybyś ty rzuciła Fernanda i chciała być ze mną, ja nie zostawiłbym Isabel. Zależy mi, żebyś to wiedziała, teraz, kiedy ci mówię, że chcę być pochowany obok ciebie. Lepiej, że tak się skończyło, bo oboje bylibyśmy bardzo nieszczęśliwi. Ja nie mógłbym zostawić Isabel, nie mógłbym. Myślę, że to rozumiesz. Ona mi towarzyszyła i pomagała w trudnych latach. Wychowała dzieci. Ja nie musiałem zajmować się niczym innym poza moją pracą. Gdyby nie pieniądze jej ojca, nie miałbym szans wystartować, zawsze byłbym tylko biednym pomocnikiem architekta. Nie mógłbym zrealizować żadnych moich życiowych planów. I podtrzymywała mnie na duchu. Dzięki niej czułem, że jestem w stanie robić rzeczy ważne.

Powiedziałaś pisarce, że nie byłem zakochany w Isabel, że ona była dobrą dziewczyną, że mi się podobała, i że z czasem czułem do niej miłość, ale że nie byłem w niej zakochany... Takich rzeczy się nie mówi, Lauro, bo co to znaczy być zakochanym? To, co ty czułaś do Fernanda, człowieka, z którym nie było ci dobrze w łóżku, który cię okłamał ze sto razy i przez którego cierpiałaś? Czy to, co

192

ja czułem do ciebie? To, co czuję do tej pory?... Nie wiem, czy z tobą, tak na co dzień, byłbym szczęśliwszy niż z Isabel. My nigdy nie żyliśmy razem i nie wiemy, jakby to było. Moja miłość do ciebie składa się tylko z pragnień i słów. Przegadaliśmy mnóstwo czasu, a kochaliśmy się tylko raz, wtedy w spichlerzu. Nie wiem, czy ta potrzeba rozmowy z tobą, to pragnienie bycia obok ciebie, czy to właśnie nazywasz zakochaniem? Wiem natomiast, że ty jesteś jedynym pragnieniem, którego nie udało mi się zrealizować w życiu, i że gdybym mógł wybierać, ty byłabyś tą kobietą, z którą chciałbym być do końca moich dni. Ale Isabel nie mógłbym zostawić. Gdybyś ty do mnie wróciła, kiedy jeszcze żyła Isabel, byłbym najnieszczęśliwszym człowiekiem pod słońcem, bo zniszczyłabyś moje szczęście z Isabel, a jednocześnie nie mógłbym mieć ciebie. Lepiej więc, że tego nie zrobiłaś.

Ale kiedy zabrakło Isabel, to co innego. Kiedy przyjechałaś, żeby posadzić to drzewo, jeszcze był czas, żebyśmy odmienili nasze życie. Ty nie byłaś szczęśliwa, Lauro, przyznaj to. Miałaś tak dość własnego męża, że nie robiło ci różnicy, że dzielisz go z młodziutką dziewczyną. Szymon Cyrenajczyk, mówiłaś... Nie wiem, jak mogłaś tolerować taką sytuację. Mnie brakowało Isabel, ale czułem się w pełni sił i nie miałem wątpliwości, że byłabyś ze mną szczęśliwa, Lauro. Szczęśliwa jak wtedy w spichlerzu, jak w ciągu tylu lat naszego dzieciństwa i wczesnej młodości. Wiedziałem, co ci mogę dać, czego ci brakowało i co znalazłabyś u mnie. To, czego nie znalazłaś u twojego męża...

Możliwe, że w dalszym ciągu męczyłabyś mnie gadaniem, jakie to wspaniałe dzieła mógłbym stworzyć, tego jestem pewny, ale wtedy miałem wystarczająco dużo wiary w siebie i dosyć doświadczenia, żeby nie pozwolić, by to zakłóciło nasze szczęście. Mogliśmy mieć dwadzieścia szczęśliwych lat, Lauro. Ale ty nie chciałaś.

A potem, kiedy zmarł Fernando, dla mnie było już za późno. I nie tylko z powodu ambicji, chociaż to też miało swój wpływ. Ale nie ambicja była główną przyczyną. Czułem się stary... To prawda, że wtedy jeszcze od czasu do czasu spotykałem się z Marisą. Widywałem się z nią aż do końca, a umarła przed dwoma laty. Ale z nią było co innego, bo ona widziała, jak się stopniowo starzeję. Nie chciałem, żebyś była świadkiem mojego rozkładu, i nie tylko fizycznego. Czułem się zmęczony, straciłem zapał do pracy. Sprawa z wieżowcem wynikła później, kiedy ty już też odeszłaś ostatecznie.

Może trudno ci będzie uwierzyć, Lauro, ale czułem, że niewiele mogę ci ofiarować. Maíta tego nie rozumiała, uważała to za egoizm albo urażoną dumę. Potraktowała mnie zimno, oschle. Powiedziała, że źle się czujesz, jesteś słaba, przybita i że jakiś czas pobytu na wsi z pewnością pomoże ci przyjść do siebie. Ona chciała, żebyś tu przyjechała. Powiedziałem jej, że bardzo dobrze, ale że ja się wyprowadzę.

Będę szczery, Lauro, powiedziałem jej tak, bo wiedziałem, że jeśli mnie nie będzie, ty nie przyjedziesz. Maíta też to wiedziała. Zapytała ni stąd, ni zowąd: „Do twojej nauczycielki?". I dodała: „Laura nigdy nie przyjedzie, jeżeli ty jej tu nie przyjmiesz". Nie powiedziała ani słowa więcej, ale też nie było potrzeby. Wiem, że uznała mnie za egoistę i tchórza, a że miała trochę racji, nie ciągnąłem dyskusji. Ale zabolało mnie, że stanęła po twojej stronie, Lauro, że myślała tylko o twoim samopoczuciu, a nie o tym, jak bolesna mogła być dla mnie twoja obecność. Pozostałe dzieci czułyby się niezręcznie, gdybyś tu przyjechała, do domu, w którym mieszkałem z ich matką,

194

a który należał kiedyś do twojej rodziny. Wydawać by się mogło, że Maíta chciała ci zrekompensować to, że go od ciebie kupiłem. Dla mnie, zapewniam cię, ta sprawa nie przedstawiała żadnego problemu, gdybym ja go nie kupił, sprzedałabyś go komuś innemu za mniejsze pieniądze, to zawsze było dla mnie zupełnie jasne.

Również nie wchodziła tu w grę ambicja czy urażona duma, ani zemsta za to, że zawsze wolałaś Fernanda, chociaż to mnie bolało i nadal boli. Ale gdybym cię miał tutaj, byłaby to moja rekompensata. Znowu rozmawialibyśmy o wszystkim, naprawialibyśmy świat, dzielilibyśmy włos na czworo. Jestem tego pewien, bo Maíta mi opowiadała o waszych rozmowach, wciąż byłaś taka sama, otwarta na wszystko, z tą samą ciekawością i tym samym zainteresowaniem jak wtedy, kiedy miałaś piętnaście lat i wkładałaś palec do gniazda, żeby się przekonać, co się czuje, pamiętasz?...

Znowu byłbym szczęśliwy przy tobie, wszystko krążyłoby wokół ciebie, potrzebowałbym ciebie, żeby żyć, żeby cieszyć się życiem. I bałem się... Nie chciałem, żebyś przyjeżdżała, bo nie chciałem być przy twojej śmierci, Lauro, to była główna przyczyna. Byłem tchórzem. Miałaś przyjechać, żeby tu umrzeć, a ja tego nie chciałem. Nie chciałem przyzwyczaić się do ciebie na nowo i znowu cię stracić. Mówią: „czego oczy nie widzą, serce nie boli". Ale to nieprawda. Tęskniłem za tobą rozpaczliwie i do tego czułem się winny.

Maíta powiedziała, że umarłabyś tak czy inaczej. Widziała, jak bardzo jestem przybity, i sądzę, że w ten sposób starała się mnie pocieszyć, ale ja nie przestaję myśleć, że tu mogłabyś pożyć dłużej. Dbałbym o ciebie, tak jak dbałem o magnolię, a serce, chociaż niewyleczone, przy spokojnym życiu może jeszcze służyć wiele lat. Byłem egoistą i tchórzem i utraciłem cię po raz trzeci.

Ale teraz już przestaliśmy się mijać. Rozmowa z pisarką dobrze mi zrobiła, chociaż o tym nie powiedziałem jej ani słowa. Być może coś wie od Maíty. Ostatniego dnia chciała przyjść aż tutaj i miałem wrażenie, że żegna się nie tylko ze mną. Ale była dyskretna i nie robiła żadnych komentarzy. Spodziewam się, że w dalszym ciągu zachowa dyskrecję. To ze względu na dzieci, już ci tłumaczyłem, chociaż prawdę mówiąc, Lauro, już mnie nie obchodzi, co myślą, czy mówią oni lub ktokolwiek inny. Jedyna rzecz, która jest dla mnie ważna, to być tu razem z tobą. Trwać obok ciebie, jak długo będzie trwało to drzewo.

Gdyby ciebie tu nie było, nie kazałbym się pochować pod magnolią. Mnie takie pomysły nie przychodzą do głowy; ty, jak tyle razy przedtem, pokazałaś mi drogę. Teraz sprawia mi przyjemność, kiedy pomyślę, że coś ze mnie zostanie w tym drzewie i w tej ziemi, której nigdy nie chciałem opuścić. Ale gdyby ciebie tu nie było, wybrałbym cmentarz. Więc nie z chęci przetrwania poprzez przyrodę pragnę być tu pochowany.

To z twojego powodu, Lauro. Żeby mogło się połączyć to, co z nas zostanie. Sądzę, że ty myślałaś tak samo: że tu jest twój dom i że chcesz być blisko mnie, pod moją opieką, w moim towarzystwie.

Nie wiem, czy wierzę, czy nie w życie wieczne, Lauro. Kiedy się zastanawiam, wydaje mi się, że nie, że wszystko kończy się na tym świecie. Ale potem idę na cmentarz i zanoszę kwiaty twojemu ojcu, mojej matce i Isabel. I przychodzę tutaj, żeby rozmawiać z tobą. I zastanawiam się, jak oni przyjmą to, że chcę być tu pochowany. Oni, ci umarli, jak to przyjmą. I sprawia mi przyjemność, kiedy myślę, że to zrozumieją, że jest inny świat, gdzie nie istnieją zazdrość, duma, próżność, uraza, i że wszyscy zrozumieją, że kochałem cię przez całe życie i że teraz nadszedł moment, kiedy mogę z tobą być, tu, pod tą magnolią, którą tyle razy przeklinałem, ale o którą tak bardzo się troszczyłem...

A innym razem powtarzam sobie, że to ułuda, że nie ma innego świata, że pozostaje po nas tylko to, co stworzyliśmy za życia, a wszystko inne, nasze niespełnione pragnienia, nasza gorycz, a także nasze szczęście, kończy się ze śmiercią... Ale wciąż tu przychodzę, i kiedy patrzę na gałęzie tego drzewa, które zasadziłaś dla mnie, słyszę, jak mój wewnętrzny głos mówi mi: „Kto wie!".

Dlatego, skoro wszystko ma się skończyć albo skoro nie wszystko ma się skończyć, chcę zostać z tobą Lauro, już na zawsze, z tobą...

ksiażki dla muzykalnych

Dotychczas w serii:

Książkę wydrukowano na papierze
Amber Graphic 70 g/m²

www.arcticpaper.com

Warszawskie Wydawnictwo Literackie
MUZA SA
ul. Marszałkowska 8, 00-590 Warszawa

tel. (0-22) 629 04 77, 629 65 24
e-mail: info@muza.com.pl

Dział zamówień: (0-22) 628 63 60, 629 32 01
Księgarnia internetowa: www.muza.com.pl

Warszawa 2006
Wydanie I

Skład i łamanie: MAGRAF s.c., Bydgoszcz
Druk i oprawa: DRUK-INTRO SA, Inowrocław